「창의적 문제 해결력」
모의고사

1회

제한시간 : 90분

초등학교   학년   반   번

성 명   지원 부문

- 시험 시간은 총 90분입니다.

- 문제가 1번부터 14번까지 있는지 확인하시오.

- 문제지에 학교, 학년, 반, 번, 성명, 지원 부문을 정확히 기입하시오.

- 문항에 따라 배점이 다릅니다. 각 물음의 끝에 표시된 배점을 참고하시오.

- 필기구 외에는 계산기 등을 일체 사용할 수 없습니다.

창의적 문제 해결력

01 다음 숫자 카드 중 3장을 뽑아 한 번씩 사용하여 세 자리 수를 만들려고 한다.

$$\boxed{4} \quad \boxed{6} \quad \boxed{0} \quad \boxed{8}$$

(1) 만들 수 있는 세 자리 수 중 가장 큰 수와 가장 작은 수를 구하시오. [4점]

_____

_____

_____

_____

(2) 만들 수 있는 세 자리 수 중 가장 큰 수와 가장 작은 수의 차를 구하시오. [2점]

_____

_____

_____

_____

02 몬드리안은 추상화를 그린 네델란드의 대표적인 화가로 미술의 기본인 선과 사각형을 이용해 작품을 표현했다. 다음은 몬드리안의 작품을 본 이준이가 그린 그림이다. 이 그림 역시 굵은 검은색 선으로 사각형을 나눈 것이다. 이준이의 그림에서 찾을 수 있는 크고 작은 사각형의 개수를 풀이과정과 함께 구하시오. [6점]

• 풀이과정

• 답 :

03 서준이는 색종이를 41장 가지고 있었다. 그중에서 26장을 미술 시간에 사용하고, 문구점에서 색종이 두 묶음을 샀더니 45장이 되었다. 문구점에서 산 색종이 한 묶음에는 색종이가 몇 장씩 들어 있는지 풀이과정과 함께 구하시오. [6점]

• 풀이과정

_____

_____

_____

_____

• 답 :

_____

_____

_____

04 효진이는 수가 적힌 공을 [보기]와 같이 두 개의 모둠으로 분류하였다. 효진이가 공을 분류한 방법을 서술하고, 그 방법에 따라 주어진 공을 분류하시오. [6점]

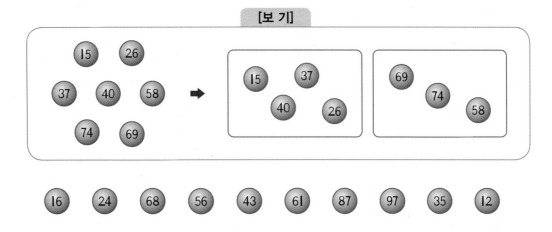

•방법 :

_____

_____

_____

_____

•분류 :

_____

_____

_____

_____

05 A반과 B반에서 각각 3명의 학생이 출전하여 총 6명의 학생이 달리기 시합을 했다. 다음 표는 학생 6명의 달리기 시합 결과를 정리한 것이다. A반이 우승할 수 있도록 우승팀의 기준을 다섯 가지 정하시오. [7점]

[달리기 시합 결과]

A반	1등	4등	5등
B반	2등	3등	6등

1 _____

_____

2 _____

_____

3 _____

_____

4 _____

_____

5 _____

_____

06 그림과 같이 길이가 1 cm, 4 cm, 9 cm인 세 개의 막대가 있다. 세 개의 막대를 이용하여 잴 수 있는 길이를 풀이과정과 함께 모두 구하시오. [7점]

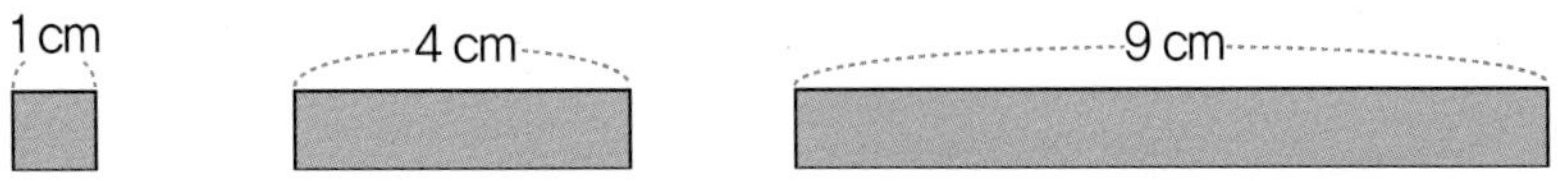

• 풀이과정

_____

_____

_____

_____

_____

_____

_____

• 답 :

_____

_____

_____

07 민준이는 서로 다른 두 개의 수레를 이용해 그림과 같이 수레의 빠르기를 알아보는 실험을 통해 다음과 같은 결과를 얻었다.

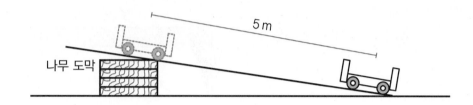

구분	첫 번째	두 번째	세 번째
수레 〈가〉가 5 m를 이동하는 데 걸린 시간	7초	7초	7초
수레 〈나〉가 5 m를 이동하는 데 걸린 시간	5초	8초	8초

(1) 두 수레 중 수레 〈가〉가 더 빠르다고 주장하는 학생이 있다. 이 학생의 주장에 타당한 근거를 서술하시오. [4점]

(2) 민준이는 두 수레 중 어느 수레가 내리막을 더 빠르게 내려가는지 알아보려고 한다. 두 수레의 빠르기를 비교할 수 있는 방법을 민준이가 한 실험 방법을 수정하거나 새로운 방법으로 네 가지 서술하시오. [8점]

1 _____

_____

_____

2 _____

_____

_____

3 _____

_____

_____

4 _____

_____

_____

08 씨는 식물의 열매 속에 들어 있으며, 자라서 새로운 식물이 될 부분이다. 식물은 동물에 먹혀서, 바람에 날려서, 물에 떠서, 동물 몸에 붙어서, 스스로 꼬투리가 터지는 등 여러 가지 방법으로 씨를 멀리 퍼트린다.

▲ 바람에 날리는 민들레 씨앗

식물이 씨를 멀리 퍼트리는 이유를 서술하시오. [6점]

09 여름철 장마가 지나면 본격적인 무더위가 시작된다. '무더위'의 '무'는 '물'이 변한 말로 물기가 있어 끈적끈적한 더위를 뜻한다.

장마로 습도가 높아지면 같은 기온이더라도 더 덥게 느껴지는 이유를 서술하시오. [6점]

창의적 문제 해결력

10 음료수 병이나 튜브형 아이스크림은 약간의 공간을 남겨두고 내용물을 담는다. 그 이유를 추리하여 서술하시오. [6점]

 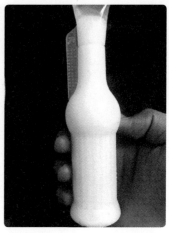

_____

_____

_____

_____

_____

_____

_____

_____

11 다음 실험에서 실험주제와 실험으로 알게 된 점을 서술하시오. [6점]

＊ 준비물 : 페트리 접시 2개, 강낭콩, 솜, 물

＊ 실험주제 : _____

＊ 실험방법

　① 두 개의 페트리 접시에 솜을 깔고 강낭콩을 넣는다.

　② 페트리 접시 한 개는 냉장고에 넣고 다른 한 개는 상온(약 25℃)에 둔다.

　③ 주기적으로 물을 동일하게 주면서 변화를 관찰한다.

＊ 실험결과

냉장고에 넣은 강낭콩	상온에 둔 강낭콩

변화 없다.	겉껍질이 벗겨지고 어린뿌리가 자라 밖으로 나온다.

＊ 실험으로 알게 된 점 : _____

실험주제

_____

_____

실험으로 알 게 된 점

_____

_____

_____

12 우리 전통 음식은 영양학적으로 우수해서 건강을 지켜 준다. 그러나 요즘은 피자나 햄버거와 같은 서양 음식을 더 즐겨 먹는 경우가 많다.

햄버거의 좋은 점과 나쁜 점을 두 가지씩 서술하시오. [7점]

좋은 점

_____

_____

_____

_____

나쁜 점

_____

_____

_____

_____

13 우리 몸을 만졌을 때 딱딱하게 느껴지는 부분은 뼈이다. 뼈는 여러 부분으로 되어 있고 부분마다 생김새가 다르다. 몸에서 뼈가 하는 일을 다섯 가지 서술하시오. [7점]

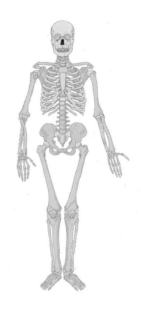

1 _____

2 _____

3 _____

4 _____

_____

5 _____

_____

창의적 문제 해결력

14 최근 각종 커뮤니티 사이트에 '에디슨 고양이'라는 제목으로 사진 한 장이 올려졌다. 물음에 답하시오.

[기 사]

오른쪽 사진은 고양이 한 마리가 닭장에서 달걀을 품고 있는 것을 찍은 사진이다. 고양이는 달걀 위에 웅크리고 있어 마치 달걀을 부화시키기 위해 품고 있는 듯하다. 이는 과거 에디슨이 달걀을 부화시키려고 닭장에서 웅크리고 있던 모습을 연상케 해 '에디슨 고양이'라는 이름이 붙었다.

달걀 속에는 병아리가 자라는 데 필요한 모든 것이 들어 있다. 암탉이 따뜻하게 달걀을 품어주면 약 21

일 후 달걀에서 병아리가 태어난다. 달걀 안에서 병아리가 자랄수록 달걀 속이 좁아져 숨쉬기가 어려워지면 병아리 부리 앞에 있는 난치라는 작은 돌기를 이용해 달걀 껍데기를 깨고 밖으로 나온다. 달걀에서 나온 지 며칠이 지나면 난치는 떨어져 나간다.

(1) 냉장고에 있는 달걀은 21일 동안 품어 주어도 병아리가 되지 않는다. 그 이유를 서술하시오. [4점]

_____

_____

_____

_____

_____

_____

(2) 암탉은 달걀을 낳은 후 꿈쩍도 하지 않고 한 자리에 앉아 알을 품는다. 누군가가 달걀에 손을 가까이 가져가면 쪼면서 공격하며 알을 지킨다. 암탉이 알을 품은 지 21일이 지나면 달걀에서 병아리가 태어난다. 암탉이 품는 대신 부화기를 이용하여 달걀을 부화시키려고 한다. 스타이로폼 상자와 주변의 물체를 이용하여 달걀 부화기를 설계하고 달걀을 부화시킬 수 있는 방법을 서술하시오. (그림을 그려서 설명해도 좋다.) [8점]

 ① 부화기 설계

 ② 부화시키는 방법

「창의적 문제 해결력」 모의고사 1회

「창의적 문제 해결력」
모의고사

2회

제한시간 : 90분

초등학교　　　　학년　　　　반　　　　번

성 명　　　　　　　　　　　지원 부문

- 시험 시간은 총 90분입니다.
- 문제가 1번부터 14번까지 있는지 확인하시오.
- 문제지에 학교, 학년, 반, 번, 성명, 지원 부문을 정확히 기입하시오.
- 문항에 따라 배점이 다릅니다. 각 물음의 끝에 표시된 배점을 참고하시오.
- 필기구 외에는 계산기 등을 일체 사용할 수 없습니다.

창의적 문제 해결력

01 600보다 크고 700보다 작은 세 자리 수 중에서 백의 자리 숫자, 십의 자리 숫자, 일의 자리 숫자의 합이 10인 세 자리 수를 풀이과정과 함께 모두 구하시오. [6점]

• 풀이과정

_____

_____

_____

_____

_____

_____

_____

• 답 :

_____

_____

_____

02 진우와 우주가 각자 매미를 잡은 후 진우는 우주에게 우주가 잡은 매미의 수만큼 주었다. 이때, 우주의 매미 중 2마리가 날아가 버려 두 사람이 가진 매미의 수는 4마리로 같아졌다. 진우가 처음 잡아서 가지고 있던 매미의 수를 풀이과정과 함께 구하시오. [6점]

• 풀이과정

• 답 :

03 책상 긴 쪽의 길이는 막대의 길이로 3번이고, 이 막대의 길이는 길이가 6 cm인 리본으로 4번이다. 책상 긴 쪽과 짧은 쪽의 길이의 차가 30 cm일 때, 책상의 짧은 쪽의 길이를 풀이과정과 함께 구하시오. [6점]

• 풀이과정

• 답 :

04 지원이의 시계는 한 시간에 3분씩 빨라지고 현진이의 시계는 한 시간에 1분씩 느려진다. 지원이와 현진이는 오늘 오전 8시에 똑같이 시계를 8시로 맞춘 후 오늘 오후 4시에 놀이터에서 만나기로 했다. 두 사람 모두 자신의 시계로 정확히 오후 4시에 도착했다면 누가 몇 분 일찍 도착했는지 풀이과정과 함께 구하시오. [6점]

•풀이과정

_____

_____

_____

_____

•답 :

_____

_____

창의적 문제 해결력

05 도로에 세워진 가로수나 전봇대는 일정한 간격으로 세워져 있다. 아파트나 복도에도 일정한 간격으로 전등이 설치되어 있다. 이처럼 일상생활에서 일정한 간격으로 되어 있는 경우를 열 가지 서술하시오. [7점]

1 _____

2 _____

3 _____

4 _____

5 _____

6 _____

7 _____

8 _____

9 _____

10 _____

06 다음과 같이 모양이 다른 세 개의 그릇에 콩을 가득 담았다. 콩의 개수를 세지 않고, 어떤 그릇에 콩이 가장 많이 들어있는지 알 수 있는 방법을 다섯 가지 서술하시오. [7점]

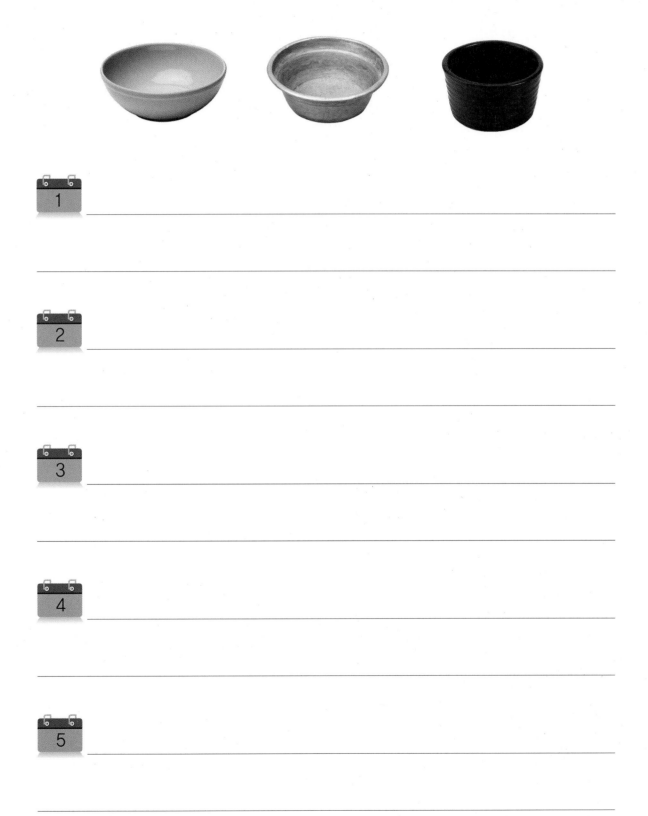

1 _____

_____

2 _____

_____

3 _____

_____

4 _____

_____

5 _____

_____

창의적 문제 해결력

07 곱셈구구에서 9의 단은 다음과 같이 손가락을 이용하면 쉽게 알 수 있다. 물음에 답하시오.

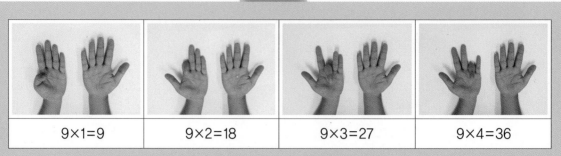

| 9×1=9 | 9×2=18 | 9×3=27 | 9×4=36 |

9×1= 9 → 첫 번째 손가락을 접고, 접은 손가락 양쪽으로 0과 9로 나누기
9×2=18 → 두 번째 손가락을 접고, 접은 손가락 양쪽으로 1과 8로 나누기
9×3=27 → 세 번째 손가락을 접고, 접은 손가락 양쪽으로 2와 7로 나누기
9×4=36 → 네 번째 손가락을 접고, 접은 손가락 양쪽으로 3과 6으로 나누기
곱셈구구의 9의 단에서 9, 18, 27, 36, 45, 54, 64, 72, 81은 십의 자리 숫자와 일의 자리 숫자를 더하면 모두 9가 된다. 십의 자리 숫자는 1씩 커지고, 일의 자리 숫자는 1씩 작아진다.
이 규칙을 이용하면 위의 사진과 같은 손가락 셈이 가능하다.

(1) 9의 단과 같이 곱셈구구의 2~5의 단에서 찾을 수 있는 규칙을 다섯 가지 서술하시오.
[4점]

(2) 재미있게 곱셈구구를 익힐 수 있는 게임을 만들어 이름을 정하고, 게임 방법을 설명하시오. (단, 주사위나 숫자 카드와 같은 물건을 사용해도 된다.) [8점]

• 게임 이름

_____

_____

_____

• 게임 방법

_____

_____

_____

_____

_____

_____

_____

_____

창의적 문제 해결력

08 우리는 더위와 추위로부터 몸을 보호하기 위해 옷을 입는다.

겨울과 같이 추운 날에는 어떤 색의 옷을 입는 것이 따뜻한지 이유와 함께 서술하시오.
[6점]

09 에어컨은 더운 여름을 시원하게 해주는 가전제품이다.

에어컨을 아래쪽보다 위쪽에 설치하는 이유를 서술하시오. [6점]

10 '맴맴맴…' 운다고 해서 이름 붙여진 매미는 예로부터 우리에게 친숙한 곤충이다.

지금은 매미의 수가 갑자기 늘어나 농가에 피해를 주고, 낮뿐만 아니라 밤에도 시끄럽게 울어 사람들이 밤잠을 못 자는 경우가 생기고 있다. 낮에만 울던 매미가 밤에도 우는 이유를 서술하시오. [6점]

_____

_____

_____

_____

_____

_____

11 눈 오는 날에는 온 세상이 하얀 눈으로 덮여지고 고요하다.

눈 오는 날이 유난히 조용한 이유를 서술하시오. [6점]

_____

_____

_____

_____

_____

_____

_____

창의적 문제 해결력

12 초가집은 갈대나 억새, 볏짚 등으로 지붕을 얹은 집이다.

초가지붕의 재료는 농가에서는 짚, 수숫대 등을 많이 사용했고, 산간지방에서는 억새, 갈대 등을 사용했다. 초가집의 특징을 세 가지 서술하시오. [7점]

1 _____

_____

2 _____

_____

3 _____

_____

13 지구의 기후는 매우 다양하며, 기후의 다양성으로 사람의 생김새와 문화의 다양성을 가져오게 된다. 40 ℃를 오르내리는 더운 나라에 사는 사람들은 곱슬머리에 팔과 다리가 길다. 이런 생김새가 더운 날씨에 유리한 점을 세 가지 서술하시오. [7점]

유리한 점 **1**

유리한 점 **2**

유리한 점 **3**

창의적 문제 해결력

14 놀이동산의 놀이기구는 과학기술을 바탕으로 만든다. 물음에 답하시오.

놀이동산을 생각하면 가장 먼저 떠오르는 놀이기구 이름은 무엇인가? 놀이동산의 다양한 놀이기구는 과학의 원리를 바탕으로 만든 첨단 기구로, 과학기술의 발달과 함께 진화했다.

공중에서 구불구불한 레일 위를 빠르게 달리면서 두세 바퀴 회전해 사람들의 정신을 쏙 빼놓는 롤러코스터는 중력에 의해 움직인다. 열차가 회전하면서 사람들이 거꾸로 매달려도 아래로 떨어지지 않는 이유는 물체가 회전할 때 바깥쪽으로 작용하는 원심력 때문이다.

범퍼카는 서로 부딪치면서 즐기는 놀이기구이다. 범퍼카는 다른 차와 부딪혀도 사고가 나지 않는다. 고무처럼 말랑말랑한 범퍼가 충격을 흡수하기 때문이다.

(1) 바이킹은 배 모양으로 생겨서 사람들을 태우고 진자처럼 공중에서 왕복 운동하는 놀이기구이다. 바이킹을 타면 꼭대기에서 아래로 내려올 때 몸이 붕 뜨며 아찔한 느낌을 받는다. 그 이유를 추리하여 서술하시오. [4점]

(2) 우주인은 무중력 상태인 우주에 적응하기 위해 무중력 상태에서 우주복 입기, 무거운 물체 들기, 줄 잡고 이동하기, 자유롭게 이동하기 등 무중력 적응 훈련을 받는다. 중력이 항상 작용하는 지구에서 우주인들은 어떻게 무중력 훈련을 받을 수 있을까? 우주인들의 무중력 적응 훈련 방법을 두 가지 서술하시오. [8점]

방법1

_____

_____

_____

_____

방법2

_____

_____

_____

_____

「창의적 문제 해결력」 모의고사

2회

「창의적 문제 해결력」
모의고사

3회

제한시간 : **90**분

초등학교   학년   반   번

성 명 ◀   지원 부문 ◀

- 시험 시간은 총 90분입니다.
- 문제가 1번부터 14번까지 있는지 확인하시오.
- 문제지에 학교, 학년, 반, 번, 성명, 지원 부문을 정확히 기입하시오.
- 문항에 따라 배점이 다릅니다. 각 물음의 끝에 표시된 배점을 참고하시오.
- 필기구 외에는 계산기 등을 일체 사용할 수 없습니다.

창의적 문제 해결력

01 백의 자리 숫자가 ㉮, 십의 자리 숫자가 ㉯, 일의 자리 숫자가 ㉰인 세 자리 수 ㉮㉯㉰가 있다. 다음 조건을 만족하는 세 자리 수는 모두 몇 개인지 풀이과정과 함께 구하시오. [6점]

> · ㉮와 ㉯의 차는 ㉯와 ㉰의 차와 같다.
> · ㉮는 ㉯보다 크고 ㉯는 ㉰보다 크다.

· 풀이과정

· 답 :

02 다음 식에서 같은 문자는 같은 숫자, 다른 문자는 다른 숫자를 나타낸다. B−A+C의
값을 풀이과정과 함께 구하시오. [6점]

$$
\begin{array}{r}
A\ B \\
A\ B \\
+\ B\ A \\
\hline
C\ A\ A
\end{array}
$$

• 풀이과정

_____

_____

_____

_____

_____

• 답 :

_____

_____

_____

창의적 문제 해결력

03 다음은 어떤 규칙에 따라 그린 그림이다. 마지막 그림을 완성하고, 풀이과정을 서술하시오. [6점]

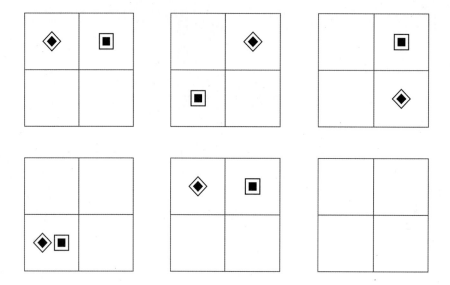

• 풀이과정

_____

_____

_____

_____

_____

_____

_____

04 0부터 9까지의 숫자 카드가 각각 한 장씩 있다. 이 중에서 4장을 사용하여 네 자리 수 ㉮㉯㉰㉱를 만드는 데 [보기]와 같이 '㉮+㉯+㉰'가 ㉱의 4배가 되게 하려고 한다. 만든 네 자리 수 중에서 3000과 4000 사이에 있는 수는 모두 몇 개인지 풀이과정과 함께 구하시오. [6점]

> [보 기]
>
> 1293 ➡ 1+2+9=3×4
> 8174 ➡ 8+1+7=4×4

• 풀이과정

• 답 :

창의적 문제 해결력

05 삼각 김밥은 세워서 진열하기 쉽고, 적은 재료로 커 보이기 위해 삼각형 모양을 하고 있다. 이처럼 우리 주위에서 찾을 수 있는 삼각형 모양의 물건을 20가지 쓰시오. [7점]

1 _____

2 _____

3 _____

4 _____

5 _____

6 _____

7 _____

8 _____

9 _____

10 _____

11 _____

12 _____

13 _____

14 _____

15 _____

16 _____

17 _____

18 _____

19 _____

20 _____

06 다음 〈보기〉에 주어진 도형들을 분류할 수 있는 기준을 다섯 가지 쓰시오. [7점]

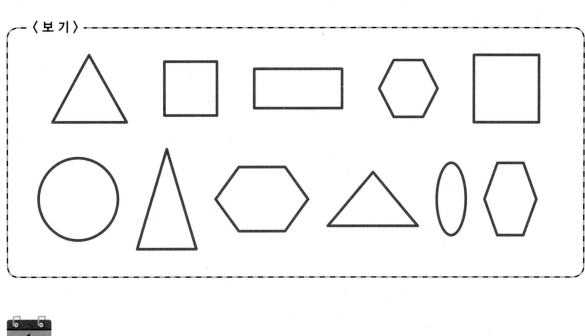

1 _____

2 _____

3 _____

_____

4 _____

_____

5 _____

_____

창의적 문제 해결력

07 서준이는 참치 통조림을 좋아한다. 엄마와 마트에 간 서준이는 쇼핑 카트에 여러 개의 참치 통조림을 담고서 기쁜 마음으로 주변을 둘러보았더니 진열된 다른 종류의 통조림 모양이 모두 비슷했다. 왜 통조림은 서로 비슷한 모양일까?

(1) 대부분 통조림 모양이 같은 이유는 무엇일까? 통조림 모양이 ▯ 모양인 이유를 세 가지 서술하시오. [4점]

1 _____

_____

2 _____

_____

3 _____

_____

(2) 대부분의 통조림은 그 모양이 모두 같아 통조림의 모양만 보고 어떤 내용물이 들어 있는지 알 수 없다. 통조림에 들어 있는 내용물의 특성이 잘 나타나도록 통조림의 모양을 디자인하고 특징을 서술하시오. [8점]

08 잡초는 땅속의 좋은 영양분을 먹고 살기 때문에 텃밭을 가꿀 때 미리 뽑아 줘야 한다.

큰 잡초는 작은 잡초를 뽑을 때보다 힘이 더 많이 든다. 그 이유를 서술하시오. [6점]

09 수영장에 가면 물이 흐르고 있는 물미끄럼틀을 볼 수 있다.

물이 흐르면 물미끄럼틀에서 사람이 타고 내려오는 속도에 어떤 영향을 주는지 이유와 함께 서술하시오. [6점]

_____

_____

_____

_____

_____

_____

_____

창의적 문제 해결력

10 보온병에 뜨겁거나 차가운 물을 넣어두면 오랫동안 온도를 유지할 수 있다.

보온병이 온도를 유지할 수 있는 원리를 두 가지 서술하시오.[6점]

원리 1 _____

_____

_____

_____

원리 2 _____

_____

_____

_____

11 곤충은 우리와 가장 가까운 곳에 있어 쉽게 찾아볼 수 있는 동물이다. 곤충은 그 수가 많고 종류도 다양하다. 지금까지 기록된 종류만 해도 약 100만 종이 넘는다.

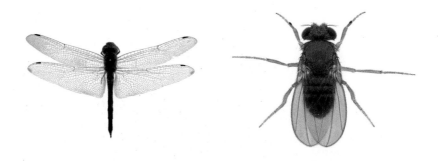

초파리와 잠자리는 곤충이지만 거미는 곤충이 아니다. 거미가 곤충이 아닌 이유를 세 가지 서술하시오. [6점]

1 _____

_____

2 _____

_____

3 _____

_____

_____

창의적 문제 해결력

12 황사는 중국에서부터 많은 양의 누런 먼지가 공중에 떠다니거나 이동 중에 내려앉는 것을 말한다. 황사가 시작된 곳의 먼지가 많고 우리나라까지 이동해 올 수 있는 바람이 불면 황사 먼지가 발생한다. 우리나라에서는 봄철, 특히 4월에 주로 황사가 심하게 발생한다. 황사가 발생했을 때 지켜야 할 안전 수칙을 다섯 가지 서술하시오. [7점]

1 _____

2 _____

3 _____

4 _____

_____

5 _____

_____

13 '열대야'는 밤이 되어도 기온이 25 ℃ 이하로 내려가지 않는 한여름의 무더운 기상 현상이다. 열대야로 인해 잠을 설치면 피곤하고 집중력도 떨어지며, 머리가 아프기도 한다.

'열대야'는 농촌보다 도시 지역에서 더 많이 나타난다. 그 이유를 세 가지 서술하시오.
[7점]

1 _____

_____

2 _____

_____

_____

3 _____

_____

_____

창의적 문제 해결력

14 다음은 펭귄에 대한 내용이다. 물음에 답하시오.

[기사]

펭귄은 날지 못하는 바닷새로 똑바로 서서 걸으며 수영하고 다이빙하며 살아간다. 펭귄은 헤엄치기에 알맞게 몸이 유선형이고 날개가 지느러미 모양이다. 짧고 단단한 깃털은 온몸을 덮고 있으며 방수 역할을 한다.

펭귄은 남극을 중심으로 남반구에 서식하기 때문에 남극을 대표하는 바닷새로서 널리 알려졌

▲ 갈라파고스펭귄　　▲ 황제펭귄

다. 그러나 18종의 펭귄 중 실제 남극에 사는 펭귄은 아델리펭귄과 황제펭귄 두 종류뿐이다. 갈라파고스펭귄은 열대 기후인 적도 부근의 갈라파고스 섬에서 살고 케이프펭귄은 남아프리카 연안에 살며, 난쟁이펭귄은 오스트레일리아 남부와 뉴질랜드 연안에 산다. 펭귄 대부분은 크릴새우나 물고기, 오징어를 비롯해 물속에 사는 동물들을 잡아먹는다. 이들은 물과 뭍에서 각각 전체 수명의 반 정도씩을 보낸다.

(1) 황제펭귄은 현재 존재하는 펭귄 중 몸집이 가장 큰 펭귄으로 추운 남극에서 산다. 황제펭귄이 추운 남극에서 잘 살 수 있는 이유를 세 가지 서술하시오. [4점]

1 _____

_____

2 _____

_____

3 _____

_____

(2) 펭귄의 특징을 이용하여 새로운 물건을 만들고, 그 물건의 원리를 서술하시오. [8점]

▲ 어른 펭귄

▲ 새끼 펭귄

① 물건

② 원리

「창의적 문제 해결력」 모의고사

3회

「창의적 문제 해결력」 모의고사

4회

제한시간 : **90**분

초등학교   학년   반   번

성 명		지원 부문	

- 시험 시간은 총 90분입니다.
- 문제가 1번부터 14번까지 있는지 확인하시오.
- 문제지에 학교, 학년, 반, 번, 성명, 지원 부문을 정확히 기입하시오.
- 문항에 따라 배점이 다릅니다. 각 물음의 끝에 표시된 배점을 참고하시오.
- 필기구 외에는 계산기 등을 일체 사용할 수 없습니다.

창의적 문제 해결력

01 식 ㉠의 계산 결과가 바른지, 바르지 않은지 풀이과정과 함께 쓰고, 식 ㉡이 성립하도록 ◯ 안에 +, −, ×를 알맞게 넣어 식을 완성하시오. [6점]

㉠ 9 (+) 8 (+) 76 (−) 54 (+) 3 (+) 2 (+) 1 = 100

㉡ 9 ◯ 8 ◯ 76 ◯ 54 ◯ 3 ◯ 2 ◯ 1 = 100

• 풀이과정

• 답 :

02 어떤 식물은 오전 9시부터 오후 9시까지는 키가 6 cm 자라고 오후 9시부터 그 다음 날 오전 9시까지는 키가 2 cm 줄어든다고 한다. 10월 1일 오전 9시에 이 식물의 키가 12 cm이었다면 10월 9일 오후 9시에 이 식물의 키는 몇 cm가 되는지 풀이과정과 함께 구하시오. [6점]

• 풀이과정

_____

_____

_____

_____

_____

• 답 :

_____

_____

_____

_____

창의적 문제 해결력

03 올해 민혁과 동생 유정, 이모 나이의 합은 54살이다. 3년 후 이모의 나이는 민혁과 유정이 나이의 합의 6배가 된다. 민혁과 유정이의 나이의 차가 1살일 때, 올해 민혁이의 나이를 풀이과정과 함께 구하시오. [6점]

• 풀이과정

• 답 :

04 희섭이는 높이가 24 cm인 쌓기나무를 165개 가지고 있다. 다음과 같은 규칙으로 쌓기나무를 모두 사용하여 쌓았을 때, 쌓은 쌓기나무 전체의 높이는 몇 m 몇 cm인지 풀이과정과 함께 구하시오. [6점]

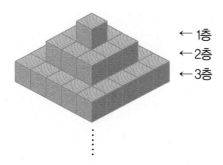

←1층
←2층
←3층

• 풀이과정

_____

_____

_____

_____

_____

• 답 :

_____

_____

_____

05 밤하늘의 별은 동그란 모양이지만 빛나는 모습 때문에 대부분 다음과 같이 표현한다. 아래의 모양을 별 모양이라고 정하였을 때, 우리 주위에서 찾아볼 수 있는 별 모양의 물건을 다섯 가지 쓰시오. [7점]

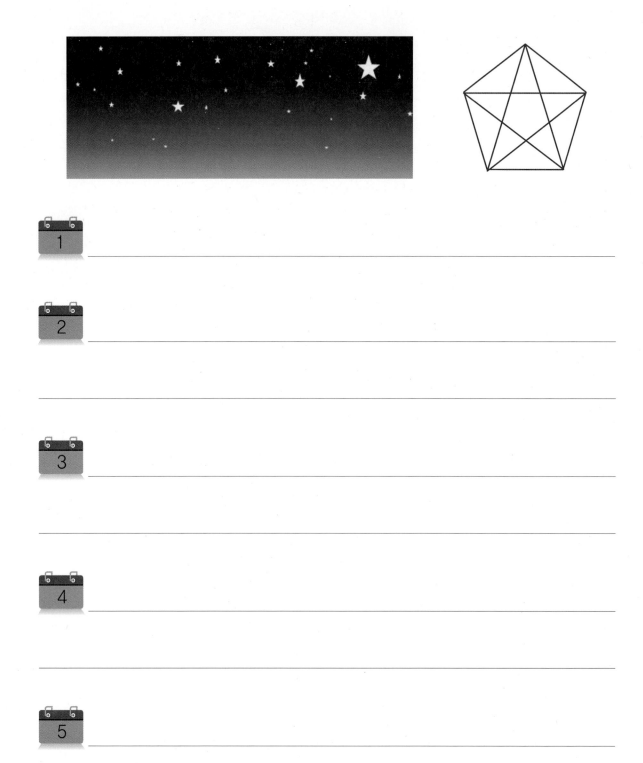

1 _____

2 _____

_____

3 _____

_____

4 _____

_____

5 _____

_____

06 다음은 은별이네 아파트의 엘리베이터 버튼의 모습이다. 엘리베이터 버튼에서 찾을 수 있는 수학적인 원리를 다섯 가지 서술하시오. [7점]

1

_____

2

_____

3

_____

4

_____

_____

5

_____

_____

창의적 문제 해결력

07 자신의 키를 알려면 자를 이용해 키를 재면 된다. 이처럼 자는 키나 거리를 재는 데 사용되는 도구이다. 우리가 사용하는 길이의 단위는 편리함을 위해 전 세계가 통일하여 사용하고 있다.

(1) 새로운 길이 단위를 정하기 위해 단위길이로 사용할 물건을 정하려고 한다. 단위길이로 적당한 물건의 조건을 세 가지 서술하시오. [4점]

1

2

3

(2) 새로운 길이 단위의 단위길이로 적당한 물건을 한 가지 쓰고, 새로운 단위의 이름과 쓰임을 서술하시오. [8점]

• 단위길이로 적당한 물건

_____

_____

_____

_____

• 새로운 단위의 이름

_____

_____

_____

_____

• 새로운 단위의 쓰임

_____

_____

_____

_____

_____

08 얼음물이 담긴 컵을 실내에 놓아두면 컵 표면에 물방울이 맺히는 것을 볼 수 있다.

얼음물이 든 컵 표면에 맺힌 물방울은 어떻게 생긴 것인지 서술하시오. [6점]

_____

_____

_____

_____

_____

_____

09 측우기는 1441년 조선 세종 때 비의 양을 측정하기 위해 만든 기구이다. 측우기가 둥근 기둥 모양을 하고 있는 이유를 알아보기 위해 모양이 서로 다른 그릇을 이용하여 실험을 하였다. 실험결과로 알 수 있는 사실을 서술하시오. [6점]

---

* 실험방법

① 모양이 서로 다른 그릇을 3개 준비한다.

② 같은 장소에서 내리는 빗물을 받는다.

③ 1시간마다 자를 이용하여 물의 높이를 측정한다.

* 실험결과

그릇의 종류			
1시간 후 물의 높이	10 mm	7 mm	15 mm
2시간 후 물의 높이	20 mm	15 mm	28 mm
3시간 후 물의 높이	30 mm	26 mm	38 mm

창의적 문제 해결력

10 개구리는 추운 겨울이 되면 땅 속 깊은 곳이나 물 밑 등에서 겨울잠을 잔다. 개구리가 겨울잠을 자는 이유를 두 가지 서술하시오. [6점]

　1　_____

_____

_____

_____

　2　_____

_____

_____

_____

11 사막여우는 사막에서 살고 있는 여우의 한 종류로 귀가 엄청나게 크다.

사막여우의 귀가 커서 유리한 점을 두 가지 서술하시오. [6점]

1

2

창의적 문제 해결력

12 곤충 대부분은 다른 동물의 먹이가 되기 쉬우므로 적으로부터 자신을 보호하기 위해 다양한 방법을 터득하였다.

곤충이 자기 몸을 보호하는 방법을 다섯 가지 서술하시오. [7점]

1 _____

2 _____

3 _____

4 _____

_____

5 _____

_____

13 겨울철은 실내외 온도차가 크고 공기가 매우 건조하다. 실내 공기가 건조하면 피부나 호흡기, 눈 등에 병이 생길 수 있으므로 가습기를 사용하여 적절한 습도를 유지하는 것이 좋다.

실내공기가 건조할 때 습도를 조절할 수 있는 다른 방법을 다섯 가지 서술하시오. [7점]

1 _____

2 _____

3 _____

4 _____

_____

5 _____

_____

14 다음은 봄철 불청객 황사에 대한 내용이다. 물음에 답하시오.

[기 사]

최근 예년보다 일찍 미세먼지와 초미세먼지를 동반한 황사가 우리나라를 뒤덮으면서 공기의 질이 매우 나빠지고 있다. 황사와 미세먼지 등 유해물질들이 인체에 쌓이게 되면 우리 몸에 매우 나쁜 영향을 끼친다.

이를 예방하기 위해 정전기를 이용한 정전 필터로 미세먼지를 흡착하는 황사 마스크, 일반 필터로는 걸러내기 힘든 초미세먼지까지 차단하는 공기청정기, 미세먼지를 흡수한 후 다시 배출하지 않는 청소기, 미세먼지를 깨끗하게 닦아내는 클렌징 제품 등 황사와 미세먼지를 대비한 다양한 제품이 출시되고 있다.

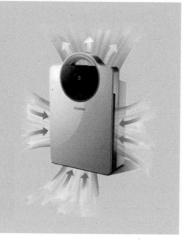

(1) 황사는 중국 사막의 모래 알갱이가 서쪽에서 동쪽으로 부는 편서풍을 타고 우리나라로 이동하는 현상이다. 편서풍은 항상 부는 바람인데도 봄철만 되면 우리나라의 황사가 심해진다. 그 이유를 계절의 특징을 바탕으로 추리하여 서술하시오. [4점]

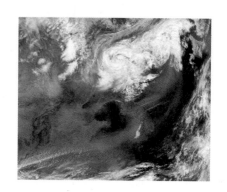

(2) 황사를 대비할 수 있는 생활용품을 한 가지 고안하고 좋은 점을 서술하시오. [8점]

 생활용품

 좋은 점

「창의적 문제 해결력」 모의고사

4회

안쌤의 줄기과학 시리즈

에너지와 지구 Ⅰ 16강   물질과 생명 Ⅰ 16강

에너지와 지구 Ⅱ 16강   물질과 생명 Ⅱ 16강

물리 24강   화학 16강   생명과학 16강   지구과학 16강

안쌤의
「창의적 문제 해결력」 수학과학
공통

모의고사 초등 1.2학년

평가가이드

 매스티안

저자 소개

안쌤 영재교육연구소(안재범, 최은화, 이상호, 강미선, 김순미, 이윤정, 신혜진)
상위 1% 학생이 되는 길을 안내하는 이정표로, 학생들이 꿈을 이루어갈 수 있도록
콘텐츠 개발과 강의 연구를 하고 있다.

매월 안쌤의 실시간 강의 수강생 모집

수학 검수
김수연, 강수남, 권영경, 김혜선, 민근희, 박은미, 송경화, 안혜정, 이수연, 홍승언

과학 검수
강미라, 김종욱, 배정인, 윤이현, 이은범, 전익찬, 정영숙, 정유희, 정회은, 최현규

이 교재에 도움을 주신 선생님
강영미, 고려욱, 김민경, 김민정, 김성희, 김영균, 김은수, 김정숙, 김정아, 김정환,
김지영, 김진남, 김진선, 김진영, 김현민, 김형진, 김희진, 노관호, 류수진, 마성재,
박기훈, 박미경, 박선재, 박은아, 박재현, 박지숙, 박진국, 백광열, 서윤정, 손현선,
신석화, 신한규, 어유선, 오소영, 유경아, 유승희, 유영란, 유지유, 윤선애, 윤소영,
이경미, 이미영, 이석영, 이아란, 이은덕, 이진실, 임선화, 임성은, 임은란, 장수진,
장시영, 전정희, 전진홍, 전현정, 전희원, 정지윤, 정대현, 조영부, 조지흔, 채윤정,
채중석, 최용덕, 최지유, 추지훈, 하정용, 한현정, 홍애순

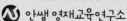
안쌤 영재교육연구소

「창의적 문제 해결력」모의고사 1회

평가 가이드

1 수학·과학 문항 **구성** 및 **채점표**

2 문항별 **채점 기준**

평가영역 문항	수학 사고력		수학 창의성		수학 STEAM	
	개념 이해력	개념 응용력	유창성	독창성 및 융통성	문제 파악 능력	문제 해결 능력
1	점					
2	점					
3		점				
4		점				
5			점	점		
6			점			
7					점	점

평가 영역별 점수	개념 이해력	개념 응용력	유창성	독창성 및 융통성	문제 파악 능력	문제 해결 능력
	수학 사고력		수학 창의성		수학 STEAM	
	/ 24점		/ 14점		/ 12점	

수학		총점	

● 평가 결과에 따른 학습 방향

사고력	21점 이상	정확하게 답안을 작성하는 연습을 하세요.
	14~20점	교과 개념과 연관된 응용문제로 문제 적응력을 기르세요.
	14점 미만	틀린 문항과 관련된 교과 개념을 다시 공부하세요.

창의성	12점 이상	보다 독창성 있는 아이디어를 내는 연습을 하세요.
	8~11점	다양한 관점의 아이디어를 더 내는 연습을 하세요.
	8점 미만	적절한 아이디어를 더 내는 연습을 하세요.

STEAM	10점 이상	답안을 보다 구체적으로 작성하는 연습을 하세요.
	7~9점	문제 해결 방안의 아이디어를 다양하게 내는 연습을 하세요.
	7점 미만	실생활과 관련된 수학 기사로 수학적 사고를 확장하는 연습을 하세요.

평가영역 문항	과학 사고력		과학 창의성		과학 STEAM	
	개념 이해력	탐구 능력	유창성	독창성 및 융통성	문제 파악 능력	문제 해결 능력
8	점					
9	점					
10		점				
11		점				
12			점	점		
13			점	점		
14					점	점

평가 영역별 점수	개념 이해력	탐구 능력	유창성	독창성 및 융통성	문제 파악 능력	문제 해결 능력
	과학 사고력		과학 창의성		과학 STEAM	
	/ 24점		/ 14점		/ 12점	

과학		총점	

● 평가 결과에 따른 학습 방향

사고력	21점 이상	정확하게 답안을 작성하는 연습을 하세요.
	14~20점	교과 개념과 연관된 응용문제로 문제 적응력을 기르세요.
	14점 미만	틀린 문항과 관련된 교과 개념을 다시 공부하세요.

창의성	12점 이상	보다 독창성 있는 아이디어를 내는 연습을 하세요.
	8~11점	다양한 관점의 아이디어를 더 내는 연습을 하세요.
	8점 미만	적절한 아이디어를 더 내는 연습을 하세요.

STEAM	10점 이상	답안을 보다 구체적으로 작성하는 연습을 하세요.
	7~9점	문제 해결 방안의 아이디어를 다양하게 내는 연습을 하세요.
	7점 미만	실생활과 관련된 수학 기사로 수학적 사고를 확장하는 연습을 하세요.

01 수학 사고력

관련 단원	2학년 1학기 1단원 세 자리 수
평가 영역	개념 이해력

정답

(1) 가장 큰 세 자리 수 : 864
　　가장 작은 세 자리 수 : 406
(2) 458

해설

(1) 8>6>4>0이므로 만들 수 있는 가장 큰 수는 864이고, 만들 수 있는 가장 작은 수는 406이다. 가장 큰 수는 백의 자리부터 큰 수를 차례로 쓴 것이고, 가장 작은 수는 백의 자리부터 작은 수를 차례로 쓴 것이다. 이때, 0은 백의 자리에 올 수 없다.
(2) 864-406=458

채점 기준　요소별 채점

개념 이해력 [6점] : 조건에 맞는 세 자리 수를 만들 수 있는가?

문항	채점 요소	배점
(1)	가장 큰 세 자리 수를 바르게 구한 경우	2점
	가장 작은 세 자리 수를 바르게 구한 경우	2점
(2)	가장 큰 세 자리 수와 가장 작은 세 자리 수의 차를 구한 경우	2점

02 수학 **사고력**

관련 단원	2학년 1학기 2단원 여러 가지 도형
평가 영역	개념 이해력

풀이과정

- 사각형 1개로 이루어진 사각형 : 5개
- 사각형 2개로 이루어진 사각형 : 4개
- 사각형 3개로 이루어진 사각형 : 2개
- 사각형 5개로 이루어진 사각형 : 1개

정답

총 12개

해설

사각형을 이루는 작은 사각형의 개수를 기준으로 서로 다른 크기와 모양의 사각형을 찾으면 모든 사각형을 빠짐없이 모두 찾을 수 있다.

채점 기준   요소별 채점

개념 이해력 [6점] : 크기와 모양이 다른 사각형의 개수를 구할 수 있는가?

채점 요소	배점
풀이과정에 사각형을 이루는 작은 사각형의 개수를 기준으로 크고 작은 사각형의 개수를 구하는 과정을 서술한 경우	3점
크고 작은 사각형의 개수를 모두 구한 경우	3점

03 수학 **사고력**

관련 단원	2학년 1학기 3단원 덧셈과 뺄셈
평가 영역	개념 응용력

풀이과정

문구점에서 산 한 묶음의 색종이의 수를 □ 라고 하면

$41 - 26 + □ + □ = 45$

$15 + □ + □ = 45$

$□ + □ = 30$

$□ = 15$

정답

15장

해설

원래 가지고 있던 색종이와 사용한 색종이, 새로 산 색종이의 수를 식으로 나타내어 한 묶음의 색종이의 수를 구한다.

채점 기준   요소별 채점

개념 응용력 [6점] : 알고자 하는 값을 구하는 식을 세우고, 구할 수 있는가?

채점 요소	배점
색종이를 구하기 위한 식과 풀이과정을 서술한 경우	4점
색종이 한 묶음의 수를 구한 경우	2점

수학 | 문항별 채점 기준

04 수학 **사고력**

관련 단원	2학년 1학기 5단원 분류하기
평가 영역	개념 응용력

정답

•방법 : 효진이는 공에 적힌 수의 일의 자리 숫자와 십의 자리 숫자의 차가 같은 공끼리 모아 분류했다.

•분류 :

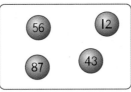
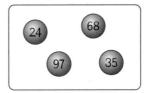
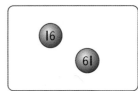

해설

공에 적힌 두 자리 수의 십의 자리 숫자와 일의 자리 숫자의 차가 1인 경우와 2인 경우, 5인 경우로 나누어 분류한다.

채점 기준   요소별 채점

개념 응용력 [6점] : 분류 기준을 찾고, 바르게 분류할 수 있는가?

채점 요소	배점
효진이가 공을 분류한 방법을 서술한 경우	3점
효진이가 공을 분류한 방법으로 주어진 공을 분류한 경우	3점

05 수학 **창의성**

관련 단원	2학년 2학기 5단원 표 만들기
평가 영역	유창성, 독창성 및 융통성

예시 답안

- 1등이 속한 반이 우승이다.
- 각 반 학생들의 등수를 모두 합해 그 값이 적은 반이 우승이다.
- 꼴지(6등)가 속하지 않은 반이 우승이다.
- 등수 중 홀수 등수가 많은 학생이 속한 반이 우승이다.
- 각 반의 1등과 꼴지의 등수의 합이 적은 반이 우승이다.

채점 기준   총체적 채점

유창성 [5점] : 문제에서 요구하는 적절한 방법을 얼마나 많이 고안하는가?

＊ 긍정적인 시각으로 보아 A반이 우승할 수 있는 우승팀의 기준으로 여겨지는 답안의 수를 세어 다음 기준에 따라 점수를 부여한다.

채점 요소	점수
우승팀을 정하는 기준 한 가지마다	1점

독창성 및 융통성 [2점] : 아이디어가 얼마나 특별하면서 다양한 범주인가?

채점 요소	점수
계산을 이용한 기준을 서술한 경우	1점
통계를 이용한 기준을 서술한 경우	1점

06 수학 **창의성**

관련 단원	2학년 2학기 3단원 길이 재기
평가 영역	유창성

풀이과정

- 막대 한 개로 잴 수 있는 길이 : 1 cm, 4 cm, 9 cm
- 막대 두 개로 잴 수 있는 길이

  1 cm+4 cm=5 cm, 1 cm+9 cm=10 cm, 4 cm+9 cm=13 cm,

  4 cm−1 cm=3 cm, 9 cm−1 cm=8 cm, 9 cm−4 cm=5 cm
- 막대 세 개로 잴 수 있는 길이

  9 cm+4 cm+1 cm=14 cm,

  9 cm+4 cm−1 cm=12 cm,

  9 cm−4 cm+1 cm=6 cm,

  9 cm−4 cm−1 cm=4 cm

정답

세 개의 막대를 이용하여 잴 수 있는 길이는

1 cm, 3 cm, 4 cm, 5 cm, 6 cm, 8 cm, 9 cm, 10 cm, 12 cm, 13 cm, 14 cm이다.

채점 기준 총체적 채점

유창성 [7점] : 문제에서 요구하는 적절한 방법을 얼마나 많이 고안하는가?

* 적절한 답안의 수를 세어 다음 기준에 따라 점수를 부여한다.

채점 요소	점수
11가지를 구한 경우	7점
9~10가지를 구한 경우	5점
7~8가지를 구한 경우	4점
5~6가지를 구한 경우	3점
3~4가지를 구한 경우	2점
1~2가지를 구한 경우	1점

07 수학 STEAM

관련 단원	1학년 1학기 4단원 비교하기
평가 영역	문제 파악 능력, 문제 해결 능력

(1)

예시 답안

- 수레 〈가〉는 5 m를 이동하는 데 걸리는 시간이 7초로 일정하지만, 수레 〈나〉는 5 m를 이동하는 데 걸리는 시간이 4~8초로 일정하지 않다. 수레 〈나〉의 첫 번째 측정이 잘못되었다고 가정하고 5초가 걸린 경우를 제외하면, 8초로 더 오랜 시간이 걸리므로 수레 〈가〉가 더 빠르다.
- 3번의 실험결과에서 수레 〈가〉가 수레 〈나〉를 이긴 횟수가 더 많으므로 수레 〈가〉가 더 빠르다고 할 수 있다.

해설

- 두 수레의 빠르기를 비교하는 실험과 실험결과를 통해 결론을 도출해 내는 과정이다. 결론을 내릴 때는 실험결과를 바탕으로 해야 하며, 그 결과가 올바른지 판단할 수 있어야 한다.
- 3회 걸린 시간의 합으로 비교할 경우, 수레 〈가〉와 〈나〉 모두 21초이므로 수레 〈가〉와 수레 〈나〉의 빠르기는 같다.

채점 기준　요소별 채점

문제 파악 능력 [4점] : 주장에 대한 논리적인 근거를 찾을 수 있는가?

채점 요소	점수
수레 〈가〉가 더 빠르다는 주장에 타당한 근거를 서술한 경우	2점
근거가 실험결과를 바탕으로 한 경우	2점

(2)

- 실험 횟수를 늘려서 이긴 횟수나 총 시간을 비교한다.
- 5 m보다 긴 거리를 이동하는 데 걸리는 시간을 비교한다.
- 경사가 클수록 내려오는 수레의 빠르기가 커서 내려오는 시간에 차이가 많이 나지 않으므로 경사를 완만하게 하여 내려오는 시간을 비교한다.
- 같은 거리를 이동하는 데 걸리는 시간을 비교한다.
- 같은 시간 동안 이동한 거리를 비교한다.
- 같은 경사면을 동시에 출발시켜 빠르기를 비교한다.
- 바퀴가 더 잘 돌아가는 수레가 빠르므로 두 수레의 바퀴가 잘 돌아가는 정도를 비교한다.
- 공기의 저항을 적게 받을수록 수레가 빠르므로 공기의 저항을 적게 받을 수 있는 모양인지 비교한다.

해설

빠르기는 단위 시간 동안 이동한 거리를 의미하므로 시간과 거리를 이용해 비교할 수 있다. 시간과 거리 외에 바퀴가 돌아가는 정도나 공기 저항을 고려하여 빠르기를 비교하는 방법 등도 있다. 단, 이러한 방법은 빠르기를 비교하는 데 사용할 수 있는 적절한 방법이어야 한다.

채점 기준 총체적 채점

문제 해결 능력 [8점] : 두 수레의 빠르기를 비교할 수 있는 다양한 방법을 찾을 수 있는가?

채점 요소	점수
두 수레의 빠르기를 비교하는 방법 한 가지마다	2점

08 과학 **사고력**

관련 단원	통합교과 1~2학년군 봄1 2단원 새싹
평가 영역	개념 이해력

예시 답안

씨가 한꺼번에 같은 곳에 떨어져 싹이 트면, 자라는 데 필요한 양분이나 물이 부족하여 서로 경쟁해야 하기 때문이다.

해설

식물이 한 장소에서만 계속 싹을 틔운다면 어미 식물 아래에만 있게 되므로 어미 식물의 그늘로 인하여 햇빛을 받기 어렵다.또한, 어미 식물의 뿌리는 새로운 씨가 뿌리 내리는 것을 방해하므로 양분과 공간이 부족하여 어린 식물이 잘 자랄 수 없다. 따라서 식물이 번성하려면 씨가 멀리 퍼져 싹을 틔워야 한다.

식물이 씨를 퍼트리는 다양한 방법

•동물에 먹혀서 : 복숭아, 수박, 도토리 등

•바람에 날려서 : 단풍나무, 민들레 등

•물에 떠서 : 야자나무 등

•동물 몸에 붙어서 : 가막사리, 도꼬마리, 도깨비바늘 등

•스스로 꼬투리가 터져서 : 강낭콩, 봉숭아 등

채점 기준   요소별 채점

개념 이해력 [6점] : 씨가 멀리 퍼지는 이유를 이해하고 있는가?

채점 요소	점수
같은 곳에 떨어지면 필요한 양분과 물이 부족함을 서술한 경우	3점
서로 경쟁해야 함을 서술한 경우	3점

09 과학 **사고력**

관련 단원	통합교과 1~2학년군 여름 1 1단원 여름이 왔어요
평가 영역	개념 이해력

예시 답안

습도가 높아지면 땀이 잘 증발하지 않아 체온을 낮추기 힘들기 때문이다.

해설

땀이 증발하면서 피부의 열도 함께 빼앗아가므로 체온을 낮춘다. 그러나 습도가 높은 장마철에는 땀이 증발하기 어려우므로 체온을 낮추기 힘들어 더 덥게 느껴진다.

채점 기준 요소별 채점

개념 이해력 [6점] : 땀의 체온 조절 역할을 이해하고 있는가?

채점 요소	점수
습도와 땀의 증발 관계를 서술한 경우	3점
땀이 증발하지 않으면 체온을 낮추기 힘듦을 서술한 경우	3점

⑩ 과학 사고력

관련 단원	통합교과 1~2학년군 여름1 1단원 여름이 왔어요
평가 영역	탐구 능력

예시 답안

물은 얼면서 부피가 늘어나므로 얼렸을 때 병이 깨지거나 튜브가 찢어지지 않게 하기 위해서이다.

해설

빈 음료수병에 물을 가득 채우고 냉동실에 넣어 얼리면 음료수병이 깨진다. 물이 얼면서 부피가 늘어나기 때문이다. 일상생활에서 겨울철에 수도관이 터지거나 물을 가득 넣은 장독대가 깨지는 일이 일어나기도 하는데, 이 현상 또한 같은 이유에서이다. 따라서 용기에 주스나 물을 담을 때는 항상 약간의 공간을 남겨 두어야 한다.

채점 기준 요소별 채점

탐구 능력 [6점] : 물이 얼면 부피가 늘어나는 것을 이해하고 병이나 튜브에 약간의 공간을 남겨두는 이유를 찾을 수 있는가?

채점 요소	점수
물이 얼면 부피가 늘어남을 서술한 경우	3점
용기가 깨지거나 찢어지지 않게 하기 위해서임을 서술한 경우	3점

11 과학 **사고력**

관련 단원	통합교과 1~2학년군 봄1 2단원 새싹
평가 영역	탐구 능력

예시 답안

• 실험주제 : 강낭콩이 싹트는 데 온도가 어떤 영향을 주는지 알아보자.
• 실험으로 알게 된 점 : 강낭콩은 따뜻한 상온에서 싹이 터서 잘 자란다.

해설

실험할 때 온도 이외에 다른 조건은 모두 같게 했으므로 온도가 강낭콩이 싹트는 데 어떤 영향을 주는지 알아보기 위한 실험이다. 냉장고에 넣은 강낭콩은 변화가 없지만, 상온에 둔 강낭콩은 싹이 터서 잘 자라므로 상온에서 강낭콩이 잘 자란다는 것을 알 수 있다.

채점 기준 │ 요소별 채점

탐구 능력 [6점] : 실험과정을 통해 실험주제와 실험으로 알게 된 점을 찾아낼 수 있는가?

채점 요소	점수
실험주제를 바르게 서술한 경우	3점
실험으로 알게 된 점을 바르게 서술한 경우	3점

⑫ 과학 **창의성**

관련 단원	통합교과 1~2학년군 우리나라 1 2단원 우리의 전통문화
평가 영역	유창성, 독창성 및 융통성

예시 답안

- 좋은 점 : 빨리 먹을 수 있다. 음식 준비과정이 비교적 간단하다. 전통음식에 비해 가지고 이동하기 편하다.
- 나쁜 점 : 전통음식에 비해 영양분이 부족하다. 너무 짜다.(소금이 많이 들어가 있다.) 화학조미료가 많이 들어 있다. 칼로리(열량)가 높아 비만, 성인병 등에 걸릴 수 있다.

해설

햄버거를 만들 때 쓰는 동물성 기름에는 나쁜 지방이 들어 있어 심장에 좋지 않다. 햄버거에는 지방과 탄수화물만 많이 들어 있고 무기질이나 비타민이 적어, 영양소를 골고루 섭취할 수가 없다. 또한, 햄버거는 너무 짜고 화학조미료가 많이 들어 있다. 소금은 우리 몸에 꼭 필요하지만, 너무 많이 먹으면 혈압을 높여서 위험하다. 화학조미료는 강한 맛이 나서 자꾸 먹고 싶게 하는데, 많이 먹으면 신경 쇠약과 심한 두통을 일으킨다고 알려졌다. 또, 햄버거는 너무 많은 열량을 내므로 남는 열량이 몸에 쌓여서 비만이 될 수 있다. 햄버거와 함께 마시는 콜라와 같은 청량음료도 뼈와 이를 약하게 만들므로 문제가 심각하다.

채점 기준   총체적 채점과 요소별 채점

유창성 [5점] : 문제에서 요구하는 적절한 방법을 얼마나 많이 고안하는가?

＊ 긍정적인 시각으로 보아 햄버거의 좋은 점과 나쁜 점이라고 여겨지는 답안의 수를 세어 다음 기준에 따라 점수를 부여한다.

채점 요소	점수	채점 요소	점수
두 항목 모두 두 가지씩 서술한 경우	5점	두 항목 모두 한 가지씩만 서술한 경우	3점
두 가지, 한 가지씩 서술한 경우	4점	두 항목 중 한 가지만 서술한 경우	2점

독창성 및 융통성 [2점] : 아이디어가 얼마나 특별하면서 다양한 범주인가?

채점 요소	점수
햄버거의 좋은 점 중 이동의 편리성을 서술한 경우	1점
햄버거의 나쁜 점 중 화학조미료를 서술한 경우	1점

13 과학 **창의성**

관련 단원	통합교과 1~2학년군 나 2 1단원 나의 몸
평가 영역	유창성, 독창성 및 융통성

예시 답안

- 우리 몸을 지탱한다.
- 우리 몸의 형태를 유지한다.
- 몸 속 장기(뇌, 심장, 폐 등)를 보호한다.
- 뼈에 붙어 있는 근육과 함께 우리 몸을 움직이게 한다.
- 물건을 잡을 수 있다.
- 혈액(피)을 만든다.
- 칼슘을 저장한다.

해설

뼈는 우리 몸이 힘을 주고 자세를 잡을 수 있도록 지탱하는 일을 하며, 뼈에 붙어 있는 근육과 함께 우리 몸이 움직일 수 있도록 한다. 또한, 외부의 충격으로부터 몸 속 장기를 보호하며, 혈액을 만드는 조혈작용도 한다. 뼈에는 많은 양의 칼슘이 들어 있는데, 이것은 뼈를 단단하게 해 줄 뿐만 아니라 근육과 신경의 작용에도 필요하다. 우리 몸에 필요한 칼슘의 99 %와 인산 90 %는 뼈 속에 저장하고 있다.

채점 기준   총체적 채점과 요소별 채점

유창성 [5점] : 문제에서 요구하는 적절한 방법을 얼마나 많이 고안하는가?

* 긍정적인 시각으로 보아 뼈의 역할이라고 여겨지는 답안의 수를 세어 다음 기준에 따라 점수를 부여한다.

채점 요소	점수
뼈가 하는 일 한 가지마다	1점

독창성 및 융통성 [2점] : 아이디어가 얼마나 특별하면서 다양한 범주인가?

채점 요소	점수
혈액(피)을 만든다는 것을 서술한 경우	1점
칼슘을 저장함을 서술한 경우	1점

14 과학 STEAM

관련 단원	통합교과 1~2학년군 가을 2 2단원 가을 체험
평가 영역	문제 파악 능력, 문제 해결 능력

(1) 예시 답안

우리가 먹는 달걀 대부분은 암탉과 수탉이 짝짓기를 하지 않고 암탉이 혼자서 낳은 무정란이기 때문이다.

해설

닭은 짝짓기를 하지 않아도 알을 낳을 수 있다. 유정란은 암탉과 수탉이 짝짓기를 통해 낳은 알이고, 무정란은 짝짓기 없이 암탉 혼자서 낳은 알이다. 유정란은 암탉이 품고 21일이 지나면 부화하여 병아리가 나오지만, 무정란은 암탉이 혼자 낳았으므로 부화되지 않는다. 외관상으로는 무정란과 유정란은 구별할 수 없고, 영양소의 차이도 없다. 마트에서 파는 유정란은 냉장 보관되어도 부화율이 떨어지긴 하지만 부화가 가능하다. 단, 냉장고에 너무 오래 보관되어 있는 경우는 부화되지 않는다.

채점 기준 요소별 채점

문제 파악 능력 [4점] : 유정란과 무정란의 차이를 알고 있는가?

채점 요소	점수
암탉이 수탉과 짝짓기를 하지 않았음을 서술한 경우	2점
암탉이 혼자 알을 낳았음을 서술한 경우	2점

(2) 예시 답안

- 부화기 설계

① 스타이로폼 상자에 소켓이 들어갈 구멍을 뚫고 형광등을 연결한다.

② 한쪽 면을 뚫고 투명한 아크릴판으로 막아 부화기 내부를 관찰할 수 있도록 한다.

③ 중간 중간 구멍을 뚫어 공기가 통하도록 한다.

④ 바닥에 천을 깔고 물이 담긴 그릇을 넣어준다.

⑤ 구멍으로 온도계를 꽂고 온도가 37 ℃정도 되면 달걀을 넣어준다.

- 부화 방법 : 온도를 일정하게 유지해주고 하루에 4~5번씩 달걀을 굴려준다.

해설

부화기의 형식은 여러 가지가 있으나 원리는 모두 어미 닭이 알을 품는 상태를 모방한 것이다. 알에 어미 닭의 품안과 같은 온도(37.8~39.4 ℃)와 습도(상대습도 55~68 %)를 유지해 주고, 신선한 공기를 공급해 주면 21일 후 부화하여 병아리가 태어난다. 주로 전열기나 전구를 이용하여 부화기 내부를 따뜻하게 한다. 백열등은 열이 많이 발생하기 때문에 형광등을 사용하는 것이 좋다. 어미 닭은 알을 품으면 매일 여러 번 부리로 알을 굴려주는데 이를 '전란'이라고 한다. 달걀 껍데기에 달걀 태반이 붙지 않고 건강하라고 운동시키는 것이다. 달걀을 부화기에서 부화시킬 때에도 하루에 4~5번 위치를 바꿔주는 것이 좋으며, 전란은 부화 4~5일 전까지만 한다. 닭은 알을 품는 동안 알을 낳지 않는다.

채점 기준   요소별 채점

문제 해결 능력[8점] : 문제점을 해결할 수 있는 아이디어를 고안했는가?

채점 요소	점수
온도를 따뜻하게 유지할 수 있는 장치를 한 경우	2점
습도를 유지할 수 있는 장치를 한 경우	2점
달걀을 굴려 준 경우	2점
부화기 내부에 온도계를 설치한 경우	2점

모의고사 1회 평가 가이드

「창의적 문제 해결력」 모의고사 **2**회

평가 가이드

① 수학·과학 문항 **구성** 및 **채점표**

② 문항별 **채점 기준**

수학 | 문항 구성 및 채점표

평가영역 문항	수학 사고력		수학 창의성		수학 STEAM	
	개념 이해력	개념 응용력	유창성	독창성 및 융통성	문제 파악 능력	문제 해결 능력
1	점					
2		점				
3	점					
4		점				
5			점	점		
6			점	점		
7					점	점

평가 영역별 점수	개념 이해력	개념 응용력	유창성	독창성 및 융통성	문제 파악 능력	문제 해결 능력
	수학 사고력		수학 창의성		수학 STEAM	
	/ 24점		/ 14점		/ 12점	

수학		총점	

● 평가 결과에 따른 학습 방향

사고력	21점 이상	정확하게 답안을 작성하는 연습을 하세요.
	14~20점	교과 개념과 연관된 응용문제로 문제 적응력을 기르세요.
	14점 미만	틀린 문항과 관련된 교과 개념을 다시 공부하세요.

창의성	12점 이상	보다 독창성 있는 아이디어를 내는 연습을 하세요.
	8~11점	다양한 관점의 아이디어를 더 내는 연습을 하세요.
	8점 미만	적절한 아이디어를 더 내는 연습을 하세요.

STEAM	10점 이상	답안을 보다 구체적으로 작성하는 연습을 하세요.
	7~9점	문제 해결 방안의 아이디어를 다양하게 내는 연습을 하세요.
	7점 미만	실생활과 관련된 수학 기사로 수학적 사고를 확장하는 연습을 하세요.

평가영역 문항	과학 사고력		과학 창의성		과학 STEAM	
	개념 이해력	탐구 능력	유창성	독창성 및 융통성	문제 파악 능력	문제 해결 능력
8	점					
9		점				
10	점					
11	점					
12			점	점		
13			점	점		
14					점	점

평가 영역별 점수	개념 이해력	탐구 능력	유창성	독창성 및 융통성	문제 파악 능력	문제 해결 능력
	과학 사고력		과학 창의성		과학 STEAM	
	/ 24점		/ 14점		/ 12점	

과학		총점	

● 평가 결과에 따른 학습 방향

사고력	21점 이상	정확하게 답안을 작성하는 연습을 하세요.
	14~20점	교과 개념과 연관된 응용문제로 문제 적응력을 기르세요.
	14점 미만	틀린 문항과 관련된 교과 개념을 다시 공부하세요.

창의성	12점 이상	보다 독창성 있는 아이디어를 내는 연습을 하세요.
	8~11점	다양한 관점의 아이디어를 더 내는 연습을 하세요.
	8점 미만	적절한 아이디어를 더 내는 연습을 하세요.

STEAM	10점 이상	답안을 보다 구체적으로 작성하는 연습을 하세요.
	7~9점	문제 해결 방안의 아이디어를 다양하게 내는 연습을 하세요.
	7점 미만	실생활과 관련된 수학 기사로 수학적 사고를 확장하는 연습을 하세요.

01 수학 사고력

관련 단원	2학년 1학기 1단원 세 자리 수
평가 영역	개념 이해력

풀이과정

600보다 크고 700보다 작은 세 자리 수이므로 백의 자리 숫자는 모두 6이다. 따라서 십의 자리 숫자와 일의 자리 숫자의 합이 4인 경우를 모두 찾으면 된다. 십의 자리 숫자와 일의 자리 숫자의 합이 4인 경우는 (0, 4), (1, 3), (2, 2), (3, 1), (4, 0)이므로 구하려는 세 자리 수는 604, 613, 622, 631, 640이다.

정답

604, 613, 622, 631, 640

채점 기준   요소별 채점

개념 이해력 [6점] : 조건에 맞는 세 자리 수를 만들 수 있는가?

채점 요소	배점
백의 자리 숫자가 모두 6임을 서술한 경우	2점
가능한 십의 자리 숫자와 일의 자리 숫자의 경우를 모두 서술한 경우	2점
구하려는 세 자리 수를 모두 구한 경우	2점

02 수학 **사고력**

관련 단원	1학년 1학기 3단원 덧셈과 뺄셈
평가 영역	개념 응용력

풀이과정

- **풀이과정 1**

  두 사람이 가진 매미의 수는 4마리로 같고, 우주의 매미 중 2마리가 날아가 버렸으므로
  우주는 4마리+2마리=6마리, 진우는 4마리를 가지고 있었다.
  우주는 진우에게 자신이 가지고 있던 매미의 수만큼 매미를 받았으므로
  우주는 처음에 6마리−3마리=3마리를 가지고 있었고,
  진우는 처음에 4마리+3마리=7마리를 가지고 있었다.

- **풀이과정 2**

  진우가 우주에게 우주가 잡은 매미의 수만큼 주었으므로
  우주가 가진 매미의 수는 처음의 2배이다.
  2마리의 매미가 날아가고 난 후 우주의 매미의 수는 4마리였으므로
  우주가 처음에 잡은 매미의 수를 $\square$라고 하면 $\square+\square-2=4$, $\square+\square=6$, $\square=3$(마리)이다.
  진우가 처음에 잡은 매미의 수를 $\triangle$라고 하면 $\triangle-3=4$이므로 $\triangle=7$ (마리)이다.

- **풀이과정 3**

  거꾸로 해결하기로 다음과 같이 표를 만들면 진우가 처음 잡은 매미의 수를 구할 수 있다.

구분	나중		처음
진우	4	4	4+3=7
우주	4	4+2=6	6−3=3

정답

7마리

채점 기준   요소별 채점

개념 응용력 [6점] : 알고자 하는 값을 구하는 식을 잘 세우고, 구할 수 있는가?

채점 요소	배점
풀이과정을 바르게 서술한 경우	4점
진우가 처음 잡은 매미의 수를 구한 경우	2점

03 수학 **사고력**

관련 단원	2학년 1학기 4단원 길이 재기
평가 영역	개념 이해력

풀이과정

막대의 길이는 6+6+6+6=24 (cm)이고,

이 책상의 긴 쪽의 길이는 길이가 24 cm인 막대로 3번이므로

24+24+24=72 (cm)이다.

따라서 책상의 짧은 쪽의 길이는 72−30=42 (cm)이다.

정답

42 cm

채점 기준   요소별 채점

개념 이해력 [6점] : 길이를 비교할 수 있으며 단위길이를 알고 있는가?

채점 요소	배점
풀이과정과 함께 막대의 길이를 구한 경우	2점
풀이과정과 함께 책상의 긴 쪽의 길이를 구한 경우	2점
풀이과정과 함께 책상의 짧은 쪽의 길이를 구한 경우	2점

04 수학 **사고력**

관련 단원	2학년 2학기 4단원 시간과 시각
평가 영역	개념 이해력

풀이과정

오전 8시부터 오후 4시까지는 8시간이다.

8시간 동안 지원이의 시계는 $3 \times 8 = 24$ (분) 빨라지고 현진이의 시계는 $1 \times 8 = 8$ (분) 느려진다.

따라서 지원이는 실제 4시보다 24분 빠르게, 현진이는 8분 느리게 도착한다.

그러므로 지원이는 현진이보다 $8 + 24 = 32$ (분) 일찍 도착했다.

정답

지원이가 32분 일찍 도착했다.

채점 기준   요소별 채점

개념 응용력 [6점] : 일정하게 느려지거나 빨라지는 시간을 계산할 수 있는가?

채점 요소	배점
오전 8시부터 오후 4시까지의 시간이 8시간임을 구한 경우	2점
8시간 동안 현진이의 시계가 느려지는 정도와 지원이의 시계가 빨라지는 정도를 구한 경우	2점
지원이가 32분 일찍 도착했음을 서술한 경우	2점

05 수학 **창의성**

관련 단원	2학년 2학기 6단원 규칙 찾기
평가 영역	유창성, 독창성 및 융통성

예시 답안

- 도로 위의 횡단보도에는 일정한 간격으로 흰색 선이 칠해져 있다.
- 아파트 복도에는 일정한 간격으로 문이 있다.
- 63빌딩은 2층부터 일정한 높이로 건설되어 있다.
- 도로 중앙에 일정한 간격으로 봉을 세워 중앙선을 넘지 못하게 만들었다.
- 건물 밖에서 보면 일정한 간격으로 창문이 있다.
- 자전거 도로나 걷기 도로에는 일정한 간격으로 거리를 표시하는 표시판이 있다.
- 인도에는 일정한 간격으로 색이 다른 보도블록이 깔려 있다.
- 다리에는 일정한 간격으로 금속으로 된 요철이 있다.
- 고속도로나 내리막길에는 과속이나 졸음운전을 예방하기 위해 도로에 일정한 간격으로 소리가 나는 요철을 만든다.
- 교실의 책상과 의자가 일정한 간격으로 놓여 있다.
- 마트에 가면 같은 상품을 일정한 간격으로 배열한다.
- 주차장의 주차공간을 일정한 간격으로 배열한다.
- 전화기와 계산기 숫자 판을 일정한 간격으로 배열한다.

채점 기준   총체적 채점

유창성 [5점] : 문제에서 요구하는 적절한 방법을 얼마나 많이 고안하는가?

* 긍정적인 시각으로 보아 일정한 규칙성이 있다고 여겨지는 답안의 수를 세어 다음 기준에 따라 점수를 부여한다.

채점 요소	점수	채점 요소	점수
10가지를 서술한 경우	5점	4~6가지를 서술한 경우	2점
7~9가지를 서술한 경우	3점	1~3가지를 서술한 경우	1점

독창성 및 융통성 [2점] : 아이디어가 얼마나 특별하면서 다양한 범주인가?

채점 요소	점수
일정한 간격으로 설치된 것을 서술한 경우	1점
일정한 간격으로 배열한 것을 서술한 경우	1점

06 수학 **창의성**

관련 단원	1학년 1학기 4단원 비교하기
평가 영역	유창성, 독창성 및 융통성

예시 답안

- 하나의 그릇을 비우고, 다른 그릇에 담긴 콩을 옮겨 담아보아 콩이 넘치면 콩이 들어있던 그릇이 더 큰 그릇이다. 이러한 방법으로 비교하면 가장 콩이 많이 들어있는 그릇을 찾을 수 있다.
- 각각의 그릇에 담긴 콩이 종이컵과 같이 작은 컵(단위 부피)으로 몇 컵이 되는지 비교해 본다.
- 빈 그릇의 무게를 재고, 콩을 담아 무게를 잰 다음 빈 그릇의 무게를 뺀다. 콩의 무게가 가장 무거운 그릇에 콩이 가장 많이 들어 있다.
- 크기가 같은 수조에 콩을 부어 높이를 비교한다.
- 그릇의 입구를 막고 물이 가득 담긴 수조에 넣어 본다. 넘친 물의 양이 가장 많은 그릇에 콩이 가장 많이 들어 있다.

채점 기준 총체적 채점

유창성 [5점] : 문제에서 요구하는 적절한 방법을 얼마나 많이 고안하는가?

* 긍정적인 시각으로 보아 콩이 가장 많이 들어 있는 그릇을 찾을 수 있는 방법으로만 여겨지는 답안의 수를 세어 다음 기준에 따라 점수를 부여한다.

* 수학적인 시각에서 보아 같은 방법으로 간주되는 아이디어는 1개의 아이디어로 본다.

채점 요소	점수
콩이 많이 들어 있는 방법 한 가지마다	1점

독창성 및 융통성[2점] : 아이디어가 얼마나 특별하면서 다양한 범주인가?

채점 요소	점수
단위 부피를 활용한 경우	1점
무게를 이용한 경우	1점

07 수학 STEAM

관련 단원	2학년 2학기 2단원 곱셈구구
평가 영역	문제 파악 능력, 문제 해결 능력

(1) 예시 답안

- 2의 단 곱셈구구의 일의 자리 숫자는 모두 짝수이다. 또는 곱이 짝수이다.
- 3의 단, 5의 단 곱셈구구는 홀수, 짝수, 홀수, 짝수의 순서로 반복된다.
- 4의 단 곱셈구구의 일의 자리 숫자는 4, 8, 2, 6, 0이 반복된다.
- 5의 단 곱셈구구의 일의 자리 숫자는 5와 0이 반복된다. 또는, 곱이 홀수와 짝수가 반복된다.
- 5의 단 곱셈구구의 십의 자리 숫자는 같은 숫자가 두 번씩 반복된다.

해설

7의 단, 9의 단 곱셈구구는 3의 단, 5의 단 곱셈구구와 같이 홀수, 짝수, 홀수, 짝수의 순서로 반복된다.

채점 기준   총체적 채점

문제 파악 능력 [4점] : 곱셈구구에서 다양한 규칙을 찾을 수 있는가?

채점 요소	배점
5가지 규칙을 서술한 경우	4점
4가지 규칙을 서술한 경우	3점
3가지 규칙을 서술한 경우	2점
1~2가지 규칙을 서술한 경우	1점

(2) 예시 답안

- 주사위 곱셈
  ① 주사위 2개를 준비한다.
  ② 각각 주사위 하나씩을 들고 굴려 큰 수가 나온 사람이 먼저 시작한다.
  ③ 두 개의 주사위를 한꺼번에 던져 나온 수를 곱해 큰 수가 나온 사람이 이긴다.
  ④ 곱의 결과가 같은 경우 두 수의 합이 큰 사람이 이긴다.

- 땡큐 카드 곱셈
  ① 1~9가 쓰여진 숫자 카드 두 벌을 섞어 두 명이 반씩 나누어 갖는다.
  ② 숫자가 안보이게 카드를 한 장씩 내려놓는다.
  ③ 동시에 카드를 뒤집어서 나온 두 수의 곱을 먼저 말한 사람은 "땡큐"를 외치며 내려놓은 두 장의 카드를 가지고 간다.
  ④ 18장의 카드를 다 갖는 사람이 이긴다.

해설

게임을 만들 때에는 게임의 결과가 공평하게 나오는 게임이어야 하며, 게임 방법이 너무 복잡하거나 어렵지 않아 누구나 쉽게 할 수 있어야 한다. 또한, 곱셈구구를 이용한 게임이므로 곱셈구구를 재미있게 익힐 수 있는 게임이어야 한다.

채점 기준   요소별 채점

문제 해결 능력 [8점] : 공정하고, 쉬우며, 곱셈구구를 익힐 수 있는 게임을 고안할 수 있는가?

채점 요소	배점
게임에 어울리는 이름을 정한 경우	3점
게임의 방법을 자세히 설명한 경우	3점
게임에 오류가 없고, 공정한 경우	2점

08 과학 **사고력**

관련 단원	통합교과 1~2학년군 겨울 1 1단원 따뜻한 겨울
평가 영역	개념 이해력

예시 답안

검은색(어두운 색) 옷을 입으면 햇빛을 잘 흡수하기 때문에 따뜻하다.

해설

물체는 색깔에 따라 흡수, 반사되는 햇빛의 양은 각각 다르다. 밝은 색일수록 햇빛을 잘 반사하고 어두운 색일수록 햇빛을 잘 흡수한다. 추울 때는 햇빛을 잘 흡수하는 어두운 색의 옷을 입는 것이 좋고, 더울 때는 햇빛을 잘 반사하는 밝은 색의 옷을 입는 것이 좋다.

채점 기준   요소별 채점

개념 이해력 [6점] : 물체의 색깔에 따른 햇빛의 흡수량과 반사량이 다름을 이해하고 있는가?

채점 요소	점수
검은색 또는 어두운 색 옷이라고 서술한 경우	3점
색과 빛이 반사되는 정도에 대해 바르게 서술한 경우	3점

09 과학 **사고력**

관련 단원	통합교과 1~2학년군 여름1 1단원 여름이 왔어요
평가 영역	탐구 능력

예시 답안

찬 공기는 따뜻한 공기보다 무거우므로 에어컨을 아래쪽에 설치하면 찬 공기가 위로 올라가지 않아 아래쪽 공기만 시원해지기 때문이다.

해설

따뜻한 공기는 위로 올라가고 차가운 공기는 아래로 내려오면서 열이 전달되는데 이것을 '대류'라고 한다. 히터에서 나오는 따뜻한 공기는 위로 올라가기 때문에 히터를 높은 곳에 설치하면 위쪽의 공기만 데워지고 아래쪽의 공기는 데워지지 않는다. 따라서 히터는 낮은 곳에 설치해야 실내 전체의 공기를 데우는 데 유리하다. 한편 에어컨에서 나오는 차가운 공기는 아래로 내려가기 때문에 에어컨을 아래쪽에 설치하면 아래쪽의 공기만 시원해지고, 위쪽의 공기는 계속 더운 상태로 있게 된다. 따라서 에어컨은 높은 위치에 설치해야 방 안 전체의 공기를 시원하게 하는 데 유리하다.

채점 기준   요소별 채점

탐구 능력 [6점] : 에어컨을 위쪽에 설치하는 이유를 찾을 수 있는가?

채점 요소	점수
찬 공기가 따뜻한 공기보다 무거움을 서술한 경우	3점
에어컨을 아래쪽에 설치할 경우 아래쪽 공기만 시원해짐을 서술한 경우	3점

⑩ 과학 **사고력**

관련 단원	통합교과 1~2학년군 여름 2 1단원 곤충과 식물
평가 영역	개념 이해력

예시 답안

밤에도 대낮처럼 환하고 따뜻해 매미가 활동하기에 좋기 때문이다.

해설

매미가 시끄럽게 우는 이유는 짝짓기를 통해 종족을 보존하기 위해서다. 유충에서 성충이 되기까지 땅속에서 5년~17년간 세월을 보내는 매미는 성충이 된 후, 보름에서 길어야 한 달 정도를 살다가 짝짓기를 마치고 생을 마감한다. 암컷은 수컷의 울음소리가 크고 우렁찰수록 호감을 느낀다. 수컷 매미는 구애를 위해 온 힘을 다해 다른 수컷들과 울음소리 경쟁을 벌이고 있다. 시골보다 대규모 아파트 단지가 밀집된 서울 강남이나 수도권 신도시에 소리가 가장 극성스러운 말매미가 번성하고 있다. 이는 인간의 무분별한 도시개발과 관련이 있다. 도시는 밤낮으로 휘황찬란한 네온사인과 자동차로 넘쳐나고, 사람들은 에어컨을 마구 틀어대 지구 온도를 높이고 있다. 지구 온난화가 심해질수록 매미들의 소음공해는 더 극성을 부릴 것이다. 결국, 지구를 뜨겁게 달군 인간들이 자연 생태계의 흐름을 바꿔 매미로 인한 피해를 부추기고 있는 셈이다. 매미 울음소리는 인간의 환경 파괴를 나무라는 경고이기도 하다.

채점 기준   요소별 채점

개념 이해력 [6점] : 매미가 밤에도 우는 이유를 이해하고 있는가?

채점 요소	점수
불빛에 대해 서술한 경우	3점
온도에 대해 서술한 경우	3점

과학 | 문항별 채점 기준

11 과학 **사고력**

관련 단원	통합교과 1~2학년군 겨울 2 1단원 겨울풍경
평가 영역	개념 이해력

예시 답안

눈의 입자 사이에 틈이 있어 소리를 흡수하기 때문이다.

해설

눈은 육각형 모양의 결정이 모여 여러 가지 크기의 입자가 되고, 그 입자가 모여 고체 눈이 된다. 입자와 입자 사이에는 많은 틈이 있고 이곳이 소리를 흡수한다. 눈이 소리를 흡수하는 역할을 하므로 주변이 조용해진다.

* 눈의 육각형 결정모양

채점 기준   요소별 채점

개념 이해력 [6점] : 눈이 소리를 흡수한다는 것을 이해하고 있는가?

채점 요소	점수
눈의 입자 사이에 틈이 있음을 서술한 경우	3점
눈이 소리를 흡수하는 역할을 함을 서술한 경우	3점

12 과학 **창의성**

관련 단원	통합교과 1~2학년군 우리나라 1 2단원 우리의 전통문화
평가 영역	유창성, 독창성 및 융통성

예시 답안

- 집을 짓는 재료(짚)를 쉽게 구할 수 있다.
- 겨울에 집안의 온기가 밖으로 빠져나가는 것을 막아준다.
- 여름에 햇볕을 막아준다.
- 화재의 위험이 있다.
- 자연에서 얻은 재료이므로 쉽게 썩을 수 있고 여름에는 벌레가 잘 생길 수 있다.
- 매년 1번씩 다시 지붕을 이어야 하므로 번거롭다.

해설

초가집의 볏짚은 속이 비어있어서 그 안의 공기가 여름에는 햇볕의 뜨거움을 막아주고, 겨울에는 집안의 온기가 밖으로 빠져나가는 것을 막아준다. 초가집은 옛날부터 일반 서민들이 주로 살았던 집으로 단열과 보온성은 우수하나 화재의 위험이 많고, 특히 볏짚으로 엮은 것은 매년 한 번씩 지붕을 다시 이어야 하므로 번거롭다. 여름철에는 벌레가 생기기도 한다.

채점 기준 　총체적 채점과 요소별 채점

유창성[5점] : 문제에서 요구하는 적절한 방법을 얼마나 많이 고안하는가?

＊ 긍정적인 시각으로 보아 초가집의 특징이라고 여겨지는 답안의 수를 세어 다음 기준에 따라 점수를 부여한다.

채점 요소	점수
세 가지를 서술한 경우	5점
두 가지를 서술한 경우	3점
한 가지를 서술한 경우	1점

독창성 및 융통성 [2점] : 아이디어가 얼마나 특별하면서 다양한 범주인가?

채점 요소	점수
여름에 벌레가 생김을 서술한 경우	1점
매년 다시 이어야 함을 서술한 경우	1점

⑬ 과학 **창의성**

관련 단원	통합교과 1~2학년군 우리나라 2 우리나라와 이웃나라
평가 영역	유창성, 독창성 및 융통성

예시 답안

• 곱슬머리는 햇볕이 직접 머리에 닿지 않도록 해준다.
• 곱슬머리는 공기가 잘 통해 땀이 잘 증발된다.
• 팔과 다리가 길어 열을 내보내는 데 유리하다.

해설

사람은 정상 체온보다 약 3~4 ℃만 높아져도 단백질이 굳어 목숨이 위험하다. 따라서 더위에서 살아남으려면 체온이 올라가지 않도록 해야 한다. 40 ℃를 오르내리는 더운 나라에 살기 위해서는 첫째, 뜨거운 햇볕을 차단하고 몸의 열을 공기 중으로 빨리 내보내야 한다. 또 몸에 열이 많이 생기지 않도록 대사량도 낮춰야 한다. 그래서 흑인들은 햇볕을 가장 많이 받는 머리를 보호하기 위해 곱슬머리가 된 것이다. 곱슬머리는 스펀지처럼 단열재 역할을 하며, 햇볕이 직접 머리 피부에 닿지 않도록 한다. 또 공기가 잘 통하므로 피부에서 나오는 땀을 잘 증발시켜 열을 빨리 식혀준다.

채점 기준 | 총체적 채점과 요소별 채점

유창성 [5점] : 문제에서 요구하는 적절한 예상을 얼마나 많이 고안하는가?
＊ 과학적인 시각에서 보아 같은 방법으로 간주되는 아이디어는 1개의 아이디어로 본다.
＊ 긍정적인 시각으로 보아 생김새의 유리한 점이라고 여겨지는 답안의 수를 세어 다음 기준에 따라 점수를 부여한다.

채점 요소	점수
세 가지를 서술한 경우	5점
두 가지를 서술한 경우	3점
한 가지를 서술한 경우	1점

독창성 및 융통성 [2점] : 아이디어가 얼마나 특별하면서 다양한 범주인가?

채점 요소	점수
곱슬머리는 바람이 잘 통함을 서술한 경우	1점
팔과 다리가 길어 열을 잘 내보냄을 서술한 경우	1점

14 과학 STEAM

관련 단원	통합교과 1~2학년군 여름 1 2단원 여름 방학
평가 영역	문제 파악 능력, 문제 해결 능력

(1) **예시 답안**

바이킹이 내려올 때 배와 사람이 같이 떨어지므로 중력의 영향을 느끼지 못하기 때문이다. 바이킹이 내려올 때 짧은 순간 무중력을 경험한다.

해설

무중력 상태란 중력이 '없다'는 뜻이 아니라 중력의 효과를 느끼지 못한다는 뜻이다. 우주를 떠다니는 우주정거장, 인공위성, 유인 우주선 등에서 찍어오는 사진들을 보면 지금 우리가 살고 있는 지구의 환경과는 다르다. 우주는 무중력 상태이기 때문이다. 물체에 작용하는 중력[물체와 물체 사이에 작용하는 인력(당기는 힘)]의 크기가 0인 상태를 무중력 상태라고 한다. 하지만 실제로 무중력 상태에서는 중력이 "0"이 되는 것이 아니라 물체에 가해지는 무게가 "0"이 된다. 그래서 무중량 상태라고도 한다.

채점 기준 요소별 채점

문제 파악 능력[4점] : 바이킹이 내려올 때 무중력 상태와 비슷해짐을 추리할 수 있는가?

채점 요소	점수
중력이 작용하지만 중력의 영향을 느끼지 못함을 서술한 경우	2점
짧은 순간 무중력 상태를 경험할 수 있음을 서술한 경우	2점

- 커다란 수영장 물속에서 우주복을 입고 훈련한다.
- 비행기가 상공 5000 m에서 45°로 9000 m까지 고도를 올리며 급상승한 후 엔진을 끄고 추진력만으로 비행하면 자유 낙하 상태가 돼 약 25 초 동안 무중력이 생긴다. 이때 무중력 적응 훈련을 한다.

- 물속에서는 중력과 반대 방향으로 부력이 작용하므로 무중력의 80%를 느낄 수 있다.
- 한 번 비행기가 이륙하면 10회 정도의 무중력 비행이 시행된다. 25 초의 짧은 시간이지만 우주인은 우주복 입기, 무거운 물체 들기, 줄 잡고 이동하기, 자유롭게 이동하기 등 무중력 적응 훈련을 한다. 무중력 적응 훈련이 끝나면 고도가 낮아진 비행기를 다시 올려야 하는데 이때 비행기 내부에는 2배나 되는 높은 중력이 생겨 우주인의 몸을 누른다. 무중력과 2배의 고중력을 반복하다 보면 멀미를 하기도 한다.

총체적 채점

문제 해결 능력[8점] : 무중력 상태와 비슷한 환경을 찾을 수 있는가?

채점 요소	점수
두 가지를 서술한 경우	8점
한 가지를 서술한 경우	4점

모의고사 2회 평가 가이드

「창의적 문제 해결력」 모의고사 3회

평가 가이드

1 수학·과학 문항 **구성** 및 **채점표**

2 문항별 **채점 기준**

수학 | 문항 구성 및 채점표

평가영역 문항	수학 사고력		수학 창의성		수학 STEAM	
	개념 이해력	개념 응용력	유창성	독창성 및 융통성	문제 파악 능력	문제 해결 능력
1	점					
2		점				
3	점					
4		점				
5			점	점		
6			점	점		
7					점	점

평가 영역별 점수	개념 이해력	개념 응용력	유창성	독창성 및 융통성	문제 파악 능력	문제 해결 능력
	수학 사고력		수학 창의성		수학 STEAM	
	/ 24점		/ 14점		/ 12점	

수학		총점	

● 평가 결과에 따른 학습 방향

사고력	21점 이상	정확하게 답안을 작성하는 연습을 하세요.
	14~20점	교과 개념과 연관된 응용문제로 문제 적응력을 기르세요.
	14점 미만	틀린 문항과 관련된 교과 개념을 다시 공부하세요.

창의성	12점 이상	보다 독창성 있는 아이디어를 내는 연습을 하세요.
	8~11점	다양한 관점의 아이디어를 더 내는 연습을 하세요.
	8점 미만	적절한 아이디어를 더 내는 연습을 하세요.

STEAM	10점 이상	답안을 보다 구체적으로 작성하는 연습을 하세요.
	7~9점	문제 해결 방안의 아이디어를 다양하게 내는 연습을 하세요.
	7점 미만	실생활과 관련된 수학 기사로 수학적 사고를 확장하는 연습을 하세요.

평가영역 문항	과학 사고력		과학 창의성		과학 STEAM	
	개념 이해력	탐구 능력	유창성	독창성 및 융통성	문제 파악 능력	문제 해결 능력
8	점					
9		점				
10	점					
11	점					
12			점	점		
13			점	점		
14					점	점

평가 영역별 점수	개념 이해력	탐구 능력	유창성	독창성 및 융통성	문제 파악 능력	문제 해결 능력
	과학 사고력		과학 창의성		과학 STEAM	
	/ 24점		/ 14점		/ 12점	

과학		총점	

● 평가 결과에 따른 학습 방향

사고력
- **21점 이상** 정확하게 답안을 작성하는 연습을 하세요.
- **14~20점** 교과 개념과 연관된 응용문제로 문제 적응력을 기르세요.
- **14점 미만** 틀린 문항과 관련된 교과 개념을 다시 공부하세요.

창의성
- **12점 이상** 보다 독창성 있는 아이디어를 내는 연습을 하세요.
- **8~11점** 다양한 관점의 아이디어를 더 내는 연습을 하세요.
- **8점 미만** 적절한 아이디어를 더 내는 연습을 하세요.

STEAM
- **10점 이상** 답안을 보다 구체적으로 작성하는 연습을 하세요.
- **7~9점** 문제 해결 방안의 아이디어를 다양하게 내는 연습을 하세요.
- **7점 미만** 실생활과 관련된 수학 기사로 수학적 사고를 확장하는 연습을 하세요.

01 수학 사고력

관련 단원	2학년 1학기 1단원 세 자리 수
평가 영역	개념 이해력

풀이과정

㉮>㉯>㉰이고 ㉮와 ㉯, ㉯와 ㉰의 차가 1인 경우 :

210, 321, 432, 543, 654, 765, 876, 987 ➡ 8개

㉮>㉯>㉰이고 ㉮와 ㉯, ㉯와 ㉰의 차가 2인 경우 :

420, 531, 642, 753, 864, 975 ➡ 6개

㉮>㉯>㉰이고 ㉮와 ㉯, ㉯와 ㉰의 차가 3인 경우 :

630, 741, 852, 963 ➡ 4개

㉮>㉯>㉰이고 ㉮와 ㉯, ㉯와 ㉰의 차가 4인 경우 :

840, 951 ➡ 2개

따라서 조건을 만족하는 세 자리 수는 모두 8+6+4+2=20 (개)이다.

정답

20개

채점 기준 ── 요소별 채점

개념 이해력 [6점] : 조건에 맞는 세 자리 수를 모두 구할 수 있는가?

채점 요소	배점
조건을 만족하는 세 자리 수를 모두 구한 경우	2점
㉮와 ㉯, ㉯와 ㉰의 차가 4인 경우를 모두 구한 경우	1점
㉮와 ㉯, ㉯와 ㉰의 차가 3인 경우를 모두 구한 경우	1점
㉮와 ㉯, ㉯와 ㉰의 차가 2인 경우를 모두 구한 경우	1점
㉮와 ㉯, ㉯와 ㉰의 차가 1인 경우를 모두 구한 경우	1점

02 수학 **사고력**

관련 단원	2학년 1학기 3단원 덧셈과 뺄셈
평가 영역	개념 응용력

풀이과정

일의 자리 숫자끼리 더하면 B+B+A의 일의 자리 숫자가 A이므로

B는 0 또는 5가 가능하지만 주어진 식에서 B가 십의 자리 숫자인 경우도 있으므로

0을 제외하면 B=5가 되어야 한다.

십의 자리 숫자끼리 더하면 일의 자리에서 받아올림이 있으므로 1+A+A+B가 되고,

1+A+A+5의 십의 자리 숫자가 A이므로 1+A+5=10, A=4가 되어야 한다.

십의 자리에서 받아올림이 있으므로 C=1이 되어야 한다.

따라서 B−A+C=5−4+1=2이다.

정답

2

채점 기준   요소별 채점

개념 응용력 [6점] : 복면산을 이해하고 해결할 수 있는가?

채점 요소	배점
풀이과정과 함께 A의 값을 구한 경우	2점
풀이과정과 함께 B의 값을 구한 경우	1점
풀이과정과 함께 C의 값을 구한 경우	1점
풀이과정과 함께 B−A+C의 값을 구한 경우	2점

03 수학 **사고력**

관련 단원	2학년 2학기 6단원 규칙 찾기
평가 영역	개념 이해력

풀이과정

2×2 정사각형의 각 칸을 ①, ②, ③, ④라고 하면

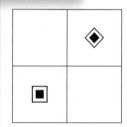

◆는 ① → ② → ③ → ④의 순서로 반복되고, ■는 ② → ④의 순서로 반복된다.

정답

채점 기준   요소별 채점

개념 이해력 [6점] : 그림을 보고 규칙을 찾을 수 있는가?

채점 요소	배점
■의 반복 규칙을 서술한 경우	2점
◆의 반복 규칙을 서술한 경우	2점
마지막 그림을 바르게 완성한 경우	2점

04 수학 사고력

관련 단원	2학년 2학기 1단원 네 자리 수
평가 영역	개념 응용력

풀이과정

일의 자리 숫자 ㉣에 올 수 있는 숫자는 0부터 9까지이므로

나머지 ㉮ ㉯ ㉰에 오는 세 숫자의 합이 될 수 있는 경우는

$0 \times 4 = 0$, $1 \times 4 = 4$, $2 \times 4 = 8$, $3 \times 4 = 12$, $4 \times 4 = 16$, $5 \times 4 = 20$, $6 \times 4 = 24$, $7 \times 4 = 28$, $8 \times 4 = 32$, $9 \times 4 = 36$이다.

만들고자 하는 네 자리 수는 3000과 4000 사이의 수이므로 천의 자리 숫자는 3이다.

두 수를 더했을 때 가장 큰 수는 $8 + 9 = 17$이고 가장 작은 수는 $0 + 1 = 1$이다.

앞의 세 숫자를 더해서 만들 수 있는 가장 큰 수는 $3 + 17 = 20$이고,

가장 작은 수는 $3 + 1 = 4$이다.

따라서 일의 자리 숫자는 1, 2, 4, 5이므로

각각의 경우에 만들 수 있는 네 자리 수는 다음과 같다.

3□□1 ➡ 없음

3□□2 ➡ 3052, 3142, 3412, 3502

3□□4 ➡ 3584, 3674, 3764, 3854

3□□5 ➡ 3895, 3985

그러므로 3000과 4000 사이에 있는 수 중에서 조건을 만족하는 수는

모두 $4 + 4 + 2 = 10$ (개)이다.

정답

10개

채점 기준 요소별 채점

개념 응용력 [6점] : 다양한 조건에 맞는 네 자리 수를 만들 수 있는가?

채점 요소	배점
천의 자리 숫자가 3임을 서술한 경우	1점
일의 자리 숫자의 조건을 서술한 경우	2점
조건에 맞는 수를 모두 구한 경우	2점
조건에 맞는 수의 개수를 구한 경우	1점

05 수학 **창의성**

관련 단원	2학년 1학기 2단원 여러 가지 도형
평가 영역	유창성, 독창성 및 융통성

예시 답안

- 삼각팬티
- 트라이앵글
- 지하철 손잡이
- 샌드위치
- 자전거 안장
- 떼 지어 날아가는 철새 떼
- 에펠탑
- 카메라 다리(삼각대)
- 꽃삽

- 산
- 오징어 머리
- 우산
- 고양이 귀
- 크리스마스트리
- 고깔모자
- 피자 조각
- 피라미드
- 탁상용 달력

- 세발자전거
- 서양인의 코
- 한강 철교
- 산봉우리
- 삼각자
- 지붕
- 연필심 앞부분
- 위험 표지판
- 새의 부리

채점 기준   총체적 채점

유창성 [5점] : 문제에서 요구하는 적절한 물건을 얼마나 많이 찾아내는가?

* 긍정적인 시각으로 보아 삼각형인 것의 수를 세어 다음 기준에 따라 점수를 부여한다.

채점 요소	배점
20가지를 서술한 경우	5점
15~19가지를 서술한 경우	4점
10~14가지를 서술한 경우	3점
5~9가지를 서술한 경우	2점
1~4가지를 서술한 경우	1점

독창성 및 융통성 [2점] : 아이디어가 얼마나 특별하면서 다양한 범주인가?

채점 요소	배점
자연적인 삼각형 모양의 물건을 서술한 경우	1점
사람이 만든 삼각형 모양의 물건을 서술한 경우	1점

06 수학 **창의성**

관련 단원	2학년 1학기 5단원 분류하기
평가 영역	유창성, 독창성 및 융통성

예시 답안

- 변의 개수가 0개인 것, 3개인 것, 4개인 것, 6개인 것
- 변이 있는 도형과 없는 도형
- 한 도형을 이루는 모든 변의 길이가 같은 도형과 아닌 도형
- 꼭짓점의 개수가 4개보다 많은 것과 그렇지 않은 것
- 꼭짓점이 있는 도형과 없는 도형
- 대각선을 그릴 수 있는 도형과 없는 도형

해설

분류 기준은 객관적이고, 명확하며 일관성이 있어야 한다. 분류 기준에 의해 분류된 것 중 중복되는 것이나 분류되지 않는 것이 있으면 안된다

채점 기준 총체적 채점

유창성(5점) : 문제에서 요구하는 적절한 방법을 얼마나 많이 고안하는가?

* 긍정적인 시각으로 보아 도형을 분류할 수 있는 기준으로 여겨지는 답안의 수를 세어 다음 기준에 따라 점수를 부여한다.

* 수학적인 시각에서 보아 같은 방법으로 간주되는 아이디어는 1개의 아이디어로 본다.

채점 요소	배점
분류 기준 한 가지마다	1점

독창성 및 융통성 [2점] : 아이디어가 얼마나 특별하면서 다양한 범주인가?

채점 요소	배점
변의 개수나 변의 길이를 이용한 경우	1점
꼭짓점의 유무나 변의 유무를 이용한 경우	1점

07 수학 STEAM

관련 단원	1학년 1학기 2단원 여러 가지 모양
평가 영역	문제 파악 능력, 문제 해결 능력

(1)

예시 답안

- 같은 부피를 담는 데 적은 재료가 들어가기 때문에 효율적이다.
- 뾰족한 부분이 없어 안전하다.
- 충격에 쉽게 터지지 않는다.
- 옆면에 상표를 붙이기 편리하다.
- 뚜껑을 만들기 쉽다.
- 잘 넘어지지 않는다.
- 떨어뜨렸을 때 통이 잘 찌그러지지 않는다.

예시 답안

통조림의 모양이 ⬭ 모양인 가장 큰 이유는 같은 양의 내용물을 넣을 때 용기의 재료가 적게 들기 때문이다. 가장 효율적인 모양은 ⬤ 모양이지만 ⬤ 모양으로 통조림을 만들 경우 진열과 운반이 어렵고 상표를 붙이거나 뚜껑을 만들기도 어렵다. 이 때문에 비교적 효율적이며 편리한 모양인 ⬭ 모양으로 통조림을 만들게 되었고, 이와 같은 이유로 음료수 캔이나 보온병과 같은 물건의 모양도 ⬭ 모양을 하고 있다.

채점 기준　총체적 채점

문제 해결 능력[4점] : 통조림 모양이 원기둥 모양인 이유를 수학적으로 추리할 수 있는가?

채점 요소	배점
이유를 3가지 서술한 경우	4점
이유를 2가지 서술한 경우	3점
이유를 1가지 서술한 경우	1점

(2)

- 디자인 : 깻잎 모양 통조림
- 특징 : 깻잎 통조림은 보통 사각기둥 통조림이라서 깻잎 끝이 접혀 있고, 많은 깻잎을 넣을 수 없다. 이를 보완한 깻잎 모양 통조림을 만들면 깻잎을 좀 더 많이 넣을 수 있어 같은 양이라도 좀더 얇게 만들 수 있다.

- 디자인 : 생선 모양의 통조림
- 특징 : 통조림의 모양을 생선 모양으로 하여 통조림 안에 들어 있는 내용물이 생선임을 쉽게 알 수 있다.
- 디자인 : 옥수수 모양의 통조림
- 특징 : 옥수수 모양의 통조림을 열면 그 안에 깐 옥수수 알갱이가 들어 있다. 겉모습만으로도 내용물이 옥수수 임을 쉽게 알 수 있다.

- 디자인 : 밑면의 지름과 높이가 각각 다른 참치 통조림
- 특징 : 칼로리가 낮은 저지방 참치는 밑면은 좁고 높이를 높게 만들고, 칼로리는 높지만 더 맛있는 참치는 밑면은 넓고 높이를 낮게 만든다. 모양을 보고 그 내용물을 바로 알 수는 없지만 참치 통조림의 모양에 따라 들어 있는 참치의 특징을 알 수 있다.

요소별 채점

문제 해결 능력 [8점] : 통조림 모양이 원기둥 모양인 이유를 수학적으로 추리할 수 있는가?

채점 요소	배점
새로운 통조림 모양을 디자인 한 경우	4점
특징을 서술한 경우	4점

08 과학 **사고력**

관련 단원	통합교과 1~2학년군 여름 1 1단원 여름이 왔어요
평가 영역	개념 이해력

예시 답안

뿌리는 땅속으로 깊이 들어가 식물을 지지해주므로 식물이 클수록 뿌리의 크기도 크기 때문이다.

해설

식물에 뿌리가 없다면 바람이 불면 금세 쓰러지고 손으로 잡아당기면 쑥 뽑힐 것이다. 식물이 쓰러지지 않는 것은 뿌리가 땅속으로 파고들어 가 식물을 지지해 주기 때문이다. 같은 잡초라도 크기가 큰 잡초를 뽑을 때 힘이 더 많이 든다. 그 이유는 식물이 크면 클수록 뿌리의 크기도 커서 식물을 튼튼하게 고정해 주기 때문이다.

채점 기준   요소별 채점

개념 이해력 [6점] : 뿌리의 기능을 이해하고 있는가?

채점 요소	점수
뿌리가 나무를 지지하고 있음을 서술한 경우	3점
큰 나무일수록 뿌리도 큼을 서술한 경우	3점

09 과학 **사고력**

관련 단원	통합교과 1~2학년군 여름 2 2단원 여름풍경
평가 영역	탐구 능력

예시 답안

미끄럼틀에 물이 흐르면 마찰이 줄어들기 때문에 내려오는 속도가 빨라진다.

해설

마찰력은 한 물체가 다른 물체와 접촉한 상태에서 움직이려고 하거나 움직일 때, 그 물체의 움직임을 방해하는 힘이다. 마찰력은 서로 닿는 면의 매끄러운 정도에 영향을 받는다. 바닥이 거칠수록 마찰력은 커지고, 바닥이 매끄러울수록 마찰력은 작아진다. 물이 흐르는 미끄럼틀은 마찰력이 작아지므로 내려오는 속도가 빨라진다.

채점 기준 | 요소별 채점

탐구 능력 [6점] : 마찰력의 작용을 이해하고 물의 역할을 찾을 수 있는가?

채점 요소	점수
마찰이 줄어듦을 서술한 경우	3점
내려오는 속도가 빨라짐을 서술한 경우	3점

❿ 과학 사고력

관련 단원	통합교과 1~2학년군 겨울 2 1단원 겨울풍경
평가 영역	개념 이해력

예시 답안

- 마개가 플라스틱으로 만들어져 있어 열이 전달되는 것을 막는다.
- 안쪽과 바깥쪽 벽 사이를 공기가 없는 상태(진공 상태)로 하여 열이 전달되는 것을 막는다.

해설

보온병의 마개는 열을 전달하는 정도가 낮은 플라스틱이다. 벽은 이중벽으로 되어 있고, 이중 유리벽 안은 공기가 없는 진공 상태이므로 열이 잘 전달되지 않는다.

채점 기준 요소별 채점

개념 이해력 [6점] : 보온병의 원리를 이해하고 있는가?

채점 요소	점수
마개에 대해 서술한 경우	3점
이중벽 사이가 진공 상태임을 서술한 경우	3점

과학 | 문항별 채점 기준

11 과학 **사고력**

관련 단원	통합교과 1~2학년군 가을1 1단원 가을날씨와 생활
평가 영역	개념 이해력

예시 답안

- 거미는 머리와 가슴이 붙어 있다.
- 거미는 다리가 4쌍(8개)이다.
- 거미는 더듬이가 없다.
- 거미는 홑눈이다.

해설

곤충은 몸통 부분의 구조가 '머리, 가슴, 배' 세 부분으로 나뉘고, 겹눈이 1쌍(2개), 더듬이가 1쌍(2개), 다리가 3쌍(6개), 날개가 2쌍(4개)인 동물이다. 하지만 날개의 경우 일개미처럼 2쌍 모두 퇴화되어 없거나 초파리처럼 1쌍만 발달하고 1쌍은 퇴화된 경우도 있다. 거미는 머리와 가슴이 붙어 있고, 다리가 8개이며, 홑눈이고, 더듬이가 없으므로 곤충이 아니다.

채점 기준   요소별 채점

개념 이해력 [6점] : 곤충의 조건을 이해하고 있는가?

채점 요소	점수
머리와 가슴이 붙어있음을 서술한 경우	2점
다리가 4쌍인 것을 서술한 경우	2점
홑눈인 것 또는 더듬이가 없다는 것을 서술한 경우	2점

⑫ 과학 창의성

관련 단원	통합교과 1~2학년군 봄 2 1단원 봄이 왔어요
평가 영역	유창성, 독창성 및 융통성

예시 답안

- 황사가 심한 날은 될 수 있으면 외출을 하지 않는다.
- 집안으로 황사 먼지가 들어오지 않도록, 창문을 잘 닫는다.
- 외출할 때는 보호안경, 마스크, 모자 등을 꼭 착용한다.
- 외출 후 집에 들어오기 전에 몸의 먼지를 잘 털어 준다.
- 손과 발을 깨끗이 씻는다.
- 눈과 코의 먼지를 식염수로 씻어 낸다.
- 실내 습도를 적절하게 유지한다.

해설

우리나라의 황사는 주로 4월에 발생하여 7~15일 정도 지속된다. 황사가 발생하면 평소보다 네 배 이상의 먼지가 공기 중에 가득 차는데, 그중에는 석영, 카드뮴, 납, 알루미늄, 구리 등의 유해 물질도 포함되어 있다. 이러한 미세 먼지가 호흡 기관으로 들어오면 천식, 기관지염 등의 호흡기 질환을 일으키고, 눈에 들어가면 결막염 등의 안구 질환을 유발한다. 오염된 공기로 인해 피부에도 따가움과 가려움증 등 알레르기 질환이 일어날 수 있다. 황사가 발생했을 때는 이러한 질환에 걸리지 않도록 청결하게 관리하는 것이 중요하다.

채점 기준 종체적 채점과 요소별 채점

유창성[5점] : 문제에서 요구하는 적절한 방법을 얼마나 많이 고안하는가?

* 과학적인 시각에서 보아 같은 방법으로 간주되는 아이디어는 1개의 아이디어로 본다.

* 긍정적인 시각으로 보아 황사 안전 수칙이라고 여겨지는 답안의 수를 세어 다음 기준에 따라 점수를 부여한다.

채점 요소	점수
안전 수칙 한 가지마다	1점

독창성 및 융통성 [2점] : 아이디어가 얼마나 특별하면서 다양한 범주인가?

채점 요소	점수
외출 후 먼지를 털어주는 것을 서술한 경우	1점
외출할 때는 보호안경, 마스크, 모자 등의 착용을 서술한 경우	1점

⑬ 과학 **창의성**

관련 단원	통합교과 1~2학년군 여름1 1단원 여름이 왔어요
평가 영역	유창성, 독창성 및 융통성

예시 답안

• 나무가 많이 없기 때문이다.
• 냉방기 사용이 많아졌기 때문이다.
• 건물들이 많아 바람이 잘 이동하지 못하기 때문이다.
• 빌딩과 아스팔트 도로가 낮에는 뜨거워졌다가 밤에 열기를 다시 내뿜기 때문이다.
• 대기오염물질로 인한 온실효과 때문이다.

해설

도시 기온은 주변 지역보다 높다. 도시 지표면의 대부분이 아스팔트, 콘크리트이기 때문이다. 햇빛을 받은 아스팔트는 많은 열을 가지고 있다. 반면, 나뭇잎은 햇빛을 차단하고 증산 작용으로 물이 증발하면서 주변의 열을 흡수한다. 이런 차이가 도시의 높은 기온현상을 만든다. 냉방기를 사용하여 실외기를 통해 바깥으로 나가는 더운 바람도 도시 기온을 올리는 역할을 한다. 차량으로부터 나오는 오염물질도 기온상승에 영향을 미친다. 오염물질은 지표면의 열 방출을 방해하므로 방출되지 못한 열에 의해 도시 기온이 상승한다.

채점 기준 총체적 채점과 요소별 채점

유창성 [5점] : 문제에서 요구하는 적절한 예상을 얼마나 많이 고안하는가?
* 과학적인 시각에서 보아 같은 방법으로 간주되는 답안은 1개의 아이디어로 본다.
* 긍정적인 시각으로 보아 도시의 열대야 현상의 원인이라고 여겨지는 답안의 수를 세어 다음 기준에 따라 점수를 부여한다.

채점 요소	점수
세 가지를 서술한 경우	5점
두 가지를 서술한 경우	3점
한 가지를 서술한 경우	1점

독창성 및 융통성 [2점] : 아이디어가 얼마나 특별하면서 다양한 범주인가?

채점 요소	점수
빌딩과 아스팔트 도로가 다시 열을 방출함을 서술한 경우	1점
온실효과에 대해 서술한 경우	1점

14 과학 STEAM

관련 단원	통합교과 1~2학년군 겨울 2 1단원 따뜻한 겨울
평가 영역	문제 파악 능력, 문제 해결 능력

(1)

예시 답안

- 몸의 크기를 키워 열발생량을 줄인다.
- 뭉쳐 지내면서 추위에 노출되는 부위를 줄이고 체온을 나눈다.
- 피부와 근육 사이에는 두꺼운 지방층이 발달하여 추위를 막고 에너지를 저장해 둔다.
- 빽빽한 깃털이 차가운 바람을 막아준다.
- 깃털 속에 있는 공기가 단열 작용을 하여 체온이 뺏기는 것을 막아준다.
- 체액을 얼지 않게 하는 천연 부동액을 가지고 있어 잘 얼지 않는다.
- 펭귄은 발바닥을 최대한 낮은 온도로 유지하여 동상에 걸리는 것을 막는다.

해설

펭귄의 가장 취약 부위는 발바닥이다. 그러나 온종일 차가운 얼음 위를 걸어 다니는데도 펭귄의 발바닥은 얼지 않는다. 그 이유는 찬 곳과 접하는 부위의 온도를 최대한 낮게 유지하기 때문이다. 조직이 살아 있기 위해서 혈액을 공급받아야 한다. 그런데 심장에서 나온 더운 피를 곧바로 발로 보내면 몸의 열이 혈액을 타고 땅바닥으로 사라져 버린다. 이를 막기 위해서 심장에서 나온 따뜻한 피가 흐르는 동맥은 발바닥에서 차갑게 식은 피가 흐르는 정맥에 열을 전달해 주고 어느 정도 식은 상태에서 발바닥으로 향한다. 반대로 발바닥에서 온 차가운 피가 흐르는 정맥은 동맥에서 열을 얻은 뒤 심장으로 향한다. 동맥 주변에 그물처럼 정맥을 배치하면 이런 효과적인 열 교환이 가능해진다. 이러한 열 교환 때문에 펭귄의 발은 24시간 얼지 않을 만큼 적당한 수준을 유지한다. 펭귄들은 대부분 무리를 지어 다니며 서로 뭉쳐 따뜻한 체온을 나눈다. 안쪽에 있는 펭귄들은 바깥으로, 바깥쪽에 있는 펭귄은 안쪽으로 돌면서 체온을 유지한다.

채점 기준 총체적 채점

문제 파악 능력[4점] : 펭귄이 추운 남극에서 잘 살 수 있는 이유를 알고 있는가?

채점 요소	점수
세 가지를 서술한 경우	4점
두 가지를 서술한 경우	3점
한 가지를 서술한 경우	1점

(2)

- 물건 : 체온 유지 겨울 잠수복
- 원리 : 펭귄의 빽빽한 깃털은 공기를 품어 체온을 유지시키고 방수 역할을 한다. 잠수복에 펭귄 피부처럼 작은 깃털을 빽빽하게 꽂으면 물이 잠수복에 닿지 않아 젖지 않으므로 차가운 바닷물에 쉽게 체온을 뺏기지 않을 것이다.
- 물건 : 열 손실을 최소화하는 주택의 열 회수 장치
- 원리 : 펭귄은 발바닥을 최대한 낮은 온도로 유지하기 위해 따뜻하고 산소가 많은 피가 흐르는 동맥을 발바닥으로 보낼 때 발바닥의 차갑고 산소가 적은 피가 흐르는 정맥과 섞이지 않고 열만 전달하도록 한다. 이를 이용하면 방안의 덥고 더러운 공기를 내보낼 때 바깥의 차고 신선한 공기와 내용물은 섞이지 않고 열만 전달해, 따뜻하고 신선한 공기가 집안으로 들어오도록 할 수 있다.

새끼 펭귄은 솜털로 덮여 있다. 솜털은 방수 기능이 없으므로 수영을 하면 체온 유지가 되지 않는다. 새끼 펭귄은 털갈이를 해서 물이 묻지 않고 기름기 있는 매끈한 깃털이 나면 헤엄을 친다. 황제펭귄은 깃털 속에 공기를 품고 있다. 이 깃털은 극심한 추위를 막아 줄 뿐 아니라, 헤엄칠 때 깃털 속에 공기가 뿜어져 나오면서 저항을 줄여주기 때문에 빠른 속도로 헤엄칠 수 있다. 배 표면에 아주 작은 기포 발생기를 만들면 배가 빠르게 움직이게 할 수 있을 것이다.

요소별 채점

문제 해결 능력[8점] : 문제점을 해결할 수 있는 아이디어를 고안했는가?

채점 요소	점수
펭귄의 특징을 이용하여 새로운 물건을 고안한 경우	4점
물건의 원리를 서술한 경우	4점

모의고사 ③회 평가 가이드

「창의적 문제 해결력」 모의고사 **4**회

평가 가이드

1 수학·과학 문항 **구성** 및 **채점표**

2 문항별 **채점 기준**

평가영역 문항	수학 사고력		수학 창의성		수학 STEAM	
	개념 이해력	개념 응용력	유창성	독창성 및 융통성	문제 파악 능력	문제 해결 능력
1	점					
2		점				
3		점				
4		점				
5			점	점		
6			점	점		
7					점	점

평가 영역별 점수	개념 이해력	개념 응용력	유창성	독창성 및 융통성	문제 파악 능력	문제 해결 능력
	수학 사고력		수학 창의성		수학 STEAM	
	/ 24점		/ 14점		/ 12점	

수학		총점	

● 평가 결과에 따른 학습 방향

사고력	21점 이상	정확하게 답안을 작성하는 연습을 하세요.
	14~20점	교과 개념과 연관된 응용문제로 문제 적응력을 기르세요.
	14점 미만	틀린 문항과 관련된 교과 개념을 다시 공부하세요.

창의성	12점 이상	보다 독창성 있는 아이디어를 내는 연습을 하세요.
	8~11점	다양한 관점의 아이디어를 더 내는 연습을 하세요.
	8점 미만	적절한 아이디어를 더 내는 연습을 하세요.

STEAM	10점 이상	답안을 보다 구체적으로 작성하는 연습을 하세요.
	7~9점	문제 해결 방안의 아이디어를 다양하게 내는 연습을 하세요.
	7점 미만	실생활과 관련된 수학 기사로 수학적 사고를 확장하는 연습을 하세요.

평가영역 문항	과학 사고력		과학 창의성		과학 STEAM	
	개념 이해력	탐구 능력	유창성	독창성 및 융통성	문제 파악 능력	문제 해결 능력
8	점					
9		점				
10	점					
11	점					
12			점	점		
13			점	점		
14					점	점

평가 영역별 점수	개념 이해력	탐구 능력	유창성	독창성 및 융통성	문제 파악 능력	문제 해결 능력
	과학 사고력		과학 창의성		과학 STEAM	
	/ 24점		/ 14점		/ 12점	

과학		총점	

● 평가 결과에 따른 학습 방향

사고력	21점 이상	정확하게 답안을 작성하는 연습을 하세요.
	14~20점	교과 개념과 연관된 응용문제로 문제 적응력을 기르세요.
	14점 미만	틀린 문항과 관련된 교과 개념을 다시 공부하세요.

창의성	12점 이상	보다 독창성 있는 아이디어를 내는 연습을 하세요.
	8~11점	다양한 관점의 아이디어를 더 내는 연습을 하세요.
	8점 미만	적절한 아이디어를 더 내는 연습을 하세요.

STEAM	10점 이상	답안을 보다 구체적으로 작성하는 연습을 하세요.
	7~9점	문제 해결 방안의 아이디어를 다양하게 내는 연습을 하세요.
	7점 미만	실생활과 관련된 수학 기사로 수학적 사고를 확장하는 연습을 하세요.

수학 | 문항별 채점 기준

01 수학 **사고력**

관련 단원	2학년 2학기 2단원 곱셈구구
평가 영역	개념 이해력

풀이과정

9+8+76−54+3+2+1=45이므로 식 ㉠의 계산 결과는 바르지 않다.

정답

㉡ 9 ⓧ 8 ⊕ 7 6 ⊖ 5 4 ⊕ 3 ⊕ 2 ⊕ 1 = 100

해설

가장 큰 수인 76과 두 번째로 큰 수인 54를 합하면 뺄 수 있는 숫자가 8, 3, 2, 1뿐이므로 계산 결과가 100보다 크다. 따라서 76과 54의 차를 이용해 계산 결과가 100이 되도록 한다.

채점 기준　요소별 채점

개념 이해력 [6점] : 덧셈과 뺄셈, 곱셈을 바르게 할 수 있는가?

채점 요소	배점
식 ㉠을 바르게 계산하여 계산 결과가 바르지 않음을 보인 경우	3점
식 ㉡이 성립하도록 ◯을 바르게 채운 경우	3점

02 수학 **사고력**

관련 단원	2학년 2학기 4단원 시각과 시간
평가 영역	개념 응용력

해설

하루 동안 이 식물의 키는 6-2=4 (cm)만큼 자란다.

10월 1일 오전 9시부터 10월 9일 오전 9시까지는 8일이 지났으므로

10월 9일 오전 9시에 식물의 키는 12+4×8=44 (cm)이다.

따라서 10월 9일 오후 9시에 식물의 키는 6cm가 더 자란 44+6=50 (cm)이다.

정답

50 cm

채점 기준   요소별 채점

개념 응용력 [6점] : 시간이 지남에 따라 일정하게 자라는 식물의 키를 계산할 수 있는가?

채점 요소	배점
하루 동안 자라는 식물의 키를 구한 경우	1점
10월 1일 오전 9시부터 10월 9일 오후 9시까지의 며칠이 지났는지 구한 경우	2점
10월 9일 오전 9시의 식물의 키를 구한 경우	2점
50 cm를 구한 경우	1점

03 수학 **사고력**

관련 단원	2학년 2학기 2단원 곱셈구구
평가 영역	개념 응용력

해설

3년 후 세 사람의 나이의 합은 54+3+3+3=63(살)이다.

3년 후 민혁과 유정이의 나이의 합을 □ 살이라 하면

□+□×6=63, □+□+□+□+□+□+□=63, □×7=63, 9×7=63에서 □=9이다.

합이 9이고 차가 1인 두 수는 5와 4이므로

3년 후 민혁이의 나이는 5살, 동생의 나이는 4살이다.

따라서 올해 민혁이의 나이는 5-3=2 (살)이다.

정답

2살

채점 기준   요소별 채점

개념 응용력 [6점] : 구하고자 하는 값을 식을 세워 구할 수 있는가?

채점 요소	배점
3년 후 유정과 민혁의 나이의 합을 구한 경우	3점
3년 후 민혁의 나이를 구한 경우	1점
3년 후 유정의 나이를 구한 경우	1점
올해 민혁이의 나이를 구한 경우	1점

04 수학 **사고력**

관련 단원	2학년 2학기 3단원 길이 재기
평가 영역	개념 응용력

해설

1층 : 1개

2층 : $3 \times 3 = 9$ (개)

3층 : $5 \times 5 = 25$ (개)

4층 : $7 \times 7 = 49$ (개)

5층 : $9 \times 9 = 81$ (개)

$1+9+25+49+81=165$ (개)이므로 5층까지 쌓을 수 있다.

따라서 5층으로 쌓은 쌓기나무 전체의 높이는

$24 \text{ cm} + 24 \text{ cm} + 24 \text{ cm} + 24 \text{ cm} + 24 \text{ cm} = 120 \text{ cm} = 1 \text{ m } 20 \text{ cm}$이다.

정답

1 m 20 cm

채점 기준 요소별 채점

개념 응용력 [6점] : 쌓여진 규칙을 찾고, 쌓기나무 전체의 높이를 구할 수 있는가?

채점 요소	배점
각 층마다 필요한 쌓기나무의 개수를 구한 경우	2점
희섭이가 가진 쌓기나무로 5층까지 쌓을 수 있음을 서술한 경우	2점
쌓기나무 전체의 높이를 구한 경우	2점

05 수학 **창의성**

관련 단원	2학년 1학기 2단원 여러 가지 도형
평가 영역	유창성, 독창성 및 융통성

예시 답안

- 축구공 표면 무늬
- 야구 홈플레이트 모양
- 오각 별 모양 드라이버
- 건물 번호판
- 교통 표지판
- 오각형 모양의 알약
- 오각형 모양의 정자

채점 기준 총체적 채점

유창성 [5점] : 문제에서 요구하는 적절한 물건을 얼마나 많이 찾아내는가?

* 긍정적인 시각으로 보아 별 모양 또는 오각형 모양인 것의 수를 세어 다음 기준에 따라 점수를 부여한다.

채점 요소	배점
별 모양 한 가지마다	1점

독창성 및 융통성 [2점] : 아이디어가 얼마나 특별하면서 다양한 범주인가?

채점 요소	배점
건물 번호판이나 교통 표지판의 오각형을 찾은 경우	1점
축구나 야구 등에서 사용된 오각형을 찾은 경우	1점

06 수학 **창의성**

관련 단원	2학년 2학기 6단원 규칙 찾기
평가 영역	유창성, 독창성 및 융통성

예시 답안

- 엘리베이터 버튼 모양은 사각형이다.
- 버튼들이 일정한 간격으로 규칙적으로 배열되어 있다.
- 1층부터 24층까지, 지하 5층까지 버튼이 있는 것으로 보아 이 건물은 29층 건물이다.
- 위로 한 칸씩 올라가며 숫자가 1씩 증가한다.
- 지하를 제외한 나머지 버튼들의 가로로 배열된 수의 일의 자리 숫자는 모두 같다.
- 지하를 제외한 나머지 버튼들은 오른쪽 수가 왼쪽 수보다 10만큼 크다.

해설

엘리베이터 버튼에는 수학적인 원리가 적용되어 있다. 실생활에 수학이 많이 쓰이고 있다는 것을 알 수 있도록 구성한 문제이다. 엘리베이터 버튼을 통해 버튼 모양, 건물의 층, 버튼 배열, 수 배열 등을 찾을 수 있다.

채점 기준 　총체적 채점

유창성 [5점] : 문제에서 요구하는 적절한 원리를 얼마나 많이 찾아내는가?

* 긍정적인 시각으로 보아 엘리베이터에서 찾을 수 있는 수학적인 원리로만 여겨지는 답안의 수를 세어 다음 기준에 따라 점수를 부여한다.

채점 요소	배점
엘리베이터 버튼에서 찾을 수 있는 수학적인 원리 한 가지마다	1점

독창성 및 융통성 [2점] : 아이디어가 얼마나 특별하면서 다양한 범주인가?

채점 요소	배점
건물 층의 수와 관련된 것을 서술한 경우	1점
수 배열의 규칙성을 서술한 경우	1점

07 수학 STEAM

관련 단원	2학년 1학기 4단원 길이 재기
평가 영역	문제 파악 능력, 문제 해결 능력

(1) 예시 답안

- 길이가 일정해야 한다.
- 쉽게 구할 수 있는 물건이어야 한다.
- 길이를 측정하기 쉬워야 한다.

해설

길이, 부피, 무게 또는 이를 측정하는 기구나 그 단위법을 도량형이라고 한다. 현재 우리가 사용하는 기본적인 길이의 단위는 m(미터)를 기본으로 하는 미터법으로, 우리나라에서는 1983년 1월 1일부터 사용되었다.

채점 기준   총체적 채점

문제 파악 능력[4점] : 단위길이를 이해하고 있는가?

채점 요소	배점
조건을 3가지 서술한 경우	4점
조건을 2가지 서술한 경우	2점
조건을 1가지 서술한 경우	1점

(2)

- 단위길이로 적당한 물건 : 카드
- 새로운 단위의 이름 : lcd
- 새로운 단위의 쓰임 : 카드의 긴 변의 길이를 단위길이로 하여 컵의 높이, 책의 크기, 장난감의 크기 등을 측정하는 데 사용한다.

- 단위길이로 적당한 물건 : 엄지
- 새로운 단위의 이름 : 엄지=엄지손가락 폭(너비)의 길이
- 새로운 단위의 쓰임 : 요리 레시피의 재료를 자르는 길이와 폭을 나타내는 단위로 사용한다. 요리할 때 길이를 측정하는 자를 사용하기 힘들므로 엄지 단위를 사용하면 편하게 길이를 측정할 수 있다.

해설

길이 단위의 기본이 되는 단위길이를 어떻게 정하는지에 따라 그 단위의 쓰임이 정해진다. 우리 선조들이 사용했던 리, 뼘, 자 등과 같은 여러 길이 단위는 단위길이가 달라 모두 그 쓰임이 달랐다.

채점 기준   요소별 채점

문제 해결 능력[8점] : 단위길이를 이해하고 새로운 길이단위를 고안할 수 있는가?

채점 요소	배점
단위길이로 정한 물건이 (1)의 세 가지 조건에 모두 만족하는 경우	3점
새로운 단위의 이름을 정한 경우	2점
단위길이에 따른 쓰임을 설명한 경우	3점

08 과학 **사고력**

관련 단원	통합교과 1~2학년군 여름 1 1단원 여름이 왔어요
평가 영역	개념 이해력

예시 답안

공기 중에 있던 수증기가 차가운 컵의 표면에 닿아 물방울이 된다.

해설

우리 눈에 보이지 않지만, 공기 중에는 많은 양의 수증기가 포함되어 있다. 수증기는 온도가 낮은 물체에 닿으면 물로 변한다. 이처럼 우리 눈에 보이지 않는 수증기가 물이 되는 현상을 응결이라고 한다. 얼음물이 든 컵에 바깥쪽에 맺힌 물방울은 공기 중의 수증기가 차가운 컵의 바깥쪽 표면에 닿아 변한 것이다. 반면 뜨거운 물이 든 컵 안쪽에 맺힌 물방울은 컵 속의 물이 증발해 생긴 수증기가 온도가 낮은 컵 안쪽 표면에 닿아 변한 것이다.

채점 기준   요소별 채점

개념 이해력 [6점] : 응결의 조건을 이해하고 있는가?

채점 요소	점수
차가운 것에 닿았다는 것을 서술한 경우	3점
수증기가 물이 된 것임을 서술한 경우	3점

09 과학 **사고력**

관련 단원	통합교과 1~2학년군 우리나라 1 1단원 우리나라의 상징
평가 영역	탐구 능력

예시 답안

그릇의 위와 아래 넓이가 다르면 빗물의 양에 따라 물의 높이가 일정하게 변하지 않는다. 따라서 비의 양을 올바르게 측정하기 위해서는 위와 아래의 넓이가 같은 둥근 기둥의 그릇을 사용해야 한다.

해설

비의 양을 측정하는 도구를 우량계라고 한다. 우량계는 둥근 원통 모양으로 위와 아래의 넓이가 같으며 금속이나 플라스틱으로 만들어져 있다. 우량계를 설치할 때에는 땅 위로 올라오게 설치하는데, 그 이유는 빗물이 튀어 들어가거나 흙이나 모래가 함께 들어가는 것을 막기 위해서이다.

채점 기준   요소별 채점

탐구 능력 [6점] : 실험결과로부터 비의 양을 올바르게 측정하기 위한 그릇의 모양을 찾을 수 있는가?

채점 요소	점수
그릇의 위와 아래 넓이가 다를 경우 물의 높이가 일정하게 변하지 않음을 서술한 경우	3점
비의 양을 올바르게 측정하기 위한 그릇의 모양을 서술한 경우	3점

10 과학 **사고력**

관련 단원	통합교과 1~2학년군 겨울1 2단원 숲 속의 겨울
평가 영역	개념 이해력

예시 답안

- 겨울에는 먹을 것이 부족하기 때문이다.
- 기온이 낮아서 체온이 내려가기 때문이다.

해설

춥고 먹을 것이 부족한 겨울이 다가오면 스스로 체온을 조절할 수 있는 능력이 없는 개구리는 겨울잠을 잔다. 땅속 깊은 곳이나 물 밑 등 온도가 많이 떨어지지 않는 장소에서 겨울잠을 자면서 겨울을 보낸다. 기온이 올라가 체온이 올라가면 겨울잠을 자던 개구리가 깨어난다.

채점 기준   요소별 채점

개념 이해력 [6점] : 개구리가 겨울잠을 자는 이유를 이해하고 있는가?

채점 요소	점수
겨울에 먹을 것이 부족함을 서술한 경우	3점
기온이 내려가면 체온이 내려감을 서술한 경우	3점

⑪ 과학 **사고력**

관련 단원	통합교과 1~2학년군 여름 1 1단원 여름이 왔어요
평가 영역	개념 이해력

예시 답안

• 더운 사막에서 몸의 열을 빨리 내보내기에 유리하다.
• 주위에 있는 먹잇감의 작은 소리를 잘 들을 수 있어 사냥에 유리하다.

해설

사막여우는 어른 팔뚝만 한 크기로 세계에서 가장 작은 여우이지만, 사막의 챔피언이라고 불릴 정도로 사막 생활에 유리한 몸을 가지고 있다. 커다란 귀는 몸의 열을 내보내기에 좋고, 주위에 있는 먹잇감의 작은 소리를 잘 들을 수 있어 재빠르게 사냥할 수 있다. 사막여우 발바닥의 털은 한낮의 열기와 밤의 추위로부터 보호해 주고, 모래에 빠지지 않고 잘 뛰어다닐 수 있게 해 준다. 또 사막여우는 따로 물을 마시지 않아도 먹잇감을 통해 수분을 보충하고, 땀도 거의 흘리지 않으며 소변도 하루에 세 방울 정도로 적어서 아주 건조한 곳에서도 오랫동안 살 수 있다.

채점 기준 요소별 채점

개념 이해력 [6점] : 사막여우 귀의 유리한 점을 이해하고 있는가?

채점 요소	점수
열을 내보내기에 유리함을 서술한 경우	3점
소리를 잘 들을 수 있음을 서술한 경우	3점

⑫ 과학 **창의성**

관련 단원	통합교과 1~2학년군 여름 2 1단원 곤충과 식물
평가 영역	유창성, 독창성 및 융통성

예시 답안

- 나뭇잎이나 풀잎인 것처럼 자신의 몸을 위장한다.
- 눈에 잘 띄도록 색깔과 무늬를 만들어 적이 도망가게 한다.
- 펄쩍 뛰어 도망간다.   • 매우 고약한 냄새를 뿜는다.   • 움직이지 않고 죽은 척한다.

해설

나뭇잎벌레처럼 자신의 몸을 나뭇잎이나 풀잎처럼 위장해서 적을 속이는 것을 의태라고 한다. 나뭇잎나비와 나뭇잎벌레는 보호색으로 자기 몸을 지킨다. 나뭇잎나비가 날개를 접고 나뭇잎 사이로 몸을 숨기면 나뭇잎인지 나비인지 구별하기가 쉽지 않다. 꽃사마귀는 자기가 앉아 있는 꽃 색깔에 따라 몸 색깔을 변화시켜 자기 몸을 지킨다. 메뚜기와 빈대는 위험하면 펄쩍 뛰어 도망가는데 메뚜기는 약 1 m까지, 빈대는 자기 몸 길이의 약 100배 높이까지 뛰어오를 수 있다. 올빼미나비는 날개를 접으면 날개 아랫면에 올빼미 무늬가 드러나도록 하여 적이 도망가게 한다. 큰허리노린재는 가슴 밑 부분에서 매우 고약한 냄새를 뿜는다. 넓적사슴벌레는 움직이지 않고 죽은 척 하여 자기 몸을 지킨다.

▲ 올빼미나비

채점 기준   총체적 채점과 요소별 채점

유창성 [5점] : 문제에서 요구하는 적절한 방법을 얼마나 많이 고안하는가?

* 과학적인 시각에서 보아 같은 방법으로 간주되는 아이디어는 1개의 아이디어로 본다.

* 긍정적인 시각으로 보아 곤충이 자기 몸을 지키는 방법이라고 여겨지는 답안의 수를 세어 다음 기준에 따라 점수를 부여한다.

채점 요소	점수
자기 몸을 보호하는 방법 한 가지마다	1점

독창성 및 융통성 [2점] : 아이디어가 얼마나 특별하면서 다양한 범주인가?

채점 요소	점수
고약한 냄새를 뿜는다는 것을 서술한 경우	1점
죽은 척한다는 것을 서술한 경우	1점

⑬ 과학 **창의성**

관련 단원	통합교과 1~2학년군 겨울 2 1단원 겨울이 왔어요
평가 영역	유창성, 독창성 및 융통성

예시 답안

- 젖은 수건(빨래)을 걸어 놓는다.
- 창문을 열어 환기한다.
- 과일 껍질을 말린다.
- 숯을 놓는다.
- 화분을 키운다.
- 어항을 놓는다.

해설

실내 적정 습도가 유지되지 않으면 코와 기관지의 점막이 마르고 피부와 눈이 건조해진다. 식물은 산소와 수분을 배출해 습도 조절에 도움을 준다. 식물은 자연 가습과 온도조절 기능이 뛰어난 천연 가습기다. 숯 또한 수분을 방출하기 때문에 '천연 가습기'라 불리는 대표적인 친환경 재료다. 숯을 깨끗이 씻어 통풍이 잘되는 그늘에 말린 후 투명한 그릇에 물과 숯을 담가 두면 숯이 공기를 정화하면서 습기를 내뿜는다. 수분이 많은 과일의 껍질을 말려 집안에 놓는 것도 좋다. 레몬, 귤 등의 껍질을 말려 수시로 물을 뿌리면 공기 중의 습도가 높아지고 상큼한 향이 난다.

채점 기준   총체적 채점과 요소별 채점

유창성[5점] : 문제에서 요구하는 적절한 방법을 얼마나 많이 고안하는가?
* 과학적인 시각에서 보아 같은 방법으로 간주되는 아이디어는 1개의 아이디어로 본다.
* 긍정적인 시각으로 습도를 조절하는 방법이라고 여겨지는 답안의 수를 세어 다음 기준에 따라 점수를 부여한다.

채점 요소	점수
습도를 조절할 수 있는 방법 한 가지마다	1점

독창성 및 융통성 [2점] : 아이디어가 얼마나 특별하면서 다양한 범주인가

채점 요소	점수
과일껍질을 말린다는 내용을 서술한 경우	1점
숯을 놓는다는 내용을 서술한 경우	1점

⑭ 과학 STEAM

관련 단원	통합교과 1~2학년군 봄2 2단원 봄나들이
평가 영역	문제 파악 능력, 문제 해결 능력

(1) 예시 답안

중국의 여름은 비가 많이 와서 습하고 가을에도 여름에 내린 비에 의해 습하기 때문에 모래 알갱이가 쉽게 떠오르지 못한다. 겨울에는 눈이 내려 얼어붙기 때문에 모래 알갱이가 쉽게 떠오르지 못한다. 그러나 봄철에는 건조하므로 모래 알갱이가 쉽게 떠올라 편서풍을 타고 이동하므로 우리나라에 황사가 심해진다.

해설

황사는 삼국시대에도 기록이 남아 있을 만큼 오랫동안 일어났던 현상이다. 황사는 토양과 해양에 영양분을 공급하고 산성비에 의해 산성화된 토양을 중화시키는 역할을 한다. 그러나 최근 중국 공업지대와 도심에서 발생하는 많은 미세먼지와 오염물질이 황사와 함께 섞여 들어오기 때문에 문제가 되고 있다.

채점 기준   요소별 채점

문제 파악 능력 [4점]: 황사가 봄철에 심해지는 이유를 날씨와 관련지어 추리할 수 있는가?

채점 요소	점수
봄철에는 건조하기 때문에 황사가 심해짐을 서술한 경우	2점
여름에는 비가 내려 습하기 때문에 황사가 심하지 않음을 서술한 경우	1점
겨울에는 눈이 내리므로 황사가 심하지 않음을 서술한 경우	1점

(2)

- 생활용품 : 코 위에 마스크를 쓰는 것이 아니라 콧속에 넣어서 사용하는 콧구멍 마스크
- 좋은 점 : 부피가 작아 휴대하기 편하고 착용이 편리하다. 콧구멍 마스크는 써도 표시가 많이 나지 않는다. 또한, 건조할 때 정수된 물을 묻혀서 사용하면 가습 효과도 있다.
- 생활용품 : 유모차 커버
- 좋은 점 : 차가운 바람과 황사로부터 아이를 따뜻하고 안전하게 보호할 수 있다.

해설

▲ 콧구멍 마스크   ▲ 유모차 커버

채점 기준 요소별 채점

문제 해결 능력[8점] : 문제에서 요구하는 생활용품을 좋은 점과 함께 고안할 수 있는가?

채점 요소	점수
황사를 대비할 수 있는 새로운 생활용품을 고안한 경우	4점
생활용품의 좋은 점을 서술한 경우	4점

모의고사 4회 평가 가이드

영재교육원 영재학급 관찰추천제 대비

안쌤의
「창의적 문제 해결력」 수학 과학 공통

모의고사

① 모의고사[4회]

- 최근 시행된 전국 관찰추천제 **기출 완벽 분석 및 반영**
- 서울권 창의적 문제해결력 **평가 대비**
- 영재성검사, 학문적성검사, **창의적 문제해결력 검사 대비**

② 평가 가이드 및 부록

- 영역별 점수에 따른 **학습 방향 제시와 차별화된 평가 가이드 수록**
- 2015 창의적 문제해결력 평가와 면접 기출유형 및 예시답안이 포함된 **관찰추천제 사용설명서 수록**

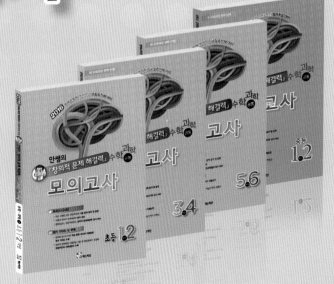

안쌤의
「창의적 문제 해결력」

모의고사 14 문항 구성

전국 영재교육 대상자 선발
관찰추천제 유형에 따른 맞춤형 문항 구성!!

	문항 구성	창의적 문제해결력 평가	영재성검사	학문적성검사	창의적 문제해결력 검사	창의 탐구력 검사
수학	사고력 4문항	●	●	●	●	
	창의성 2문항	●	●		●	●
	STEAM 1문항	●	●	●	●	●
과학	사고력 4문항	●	●	●	●	
	창의성 2문항	●	●		●	●
	STEAM 1문항	●	●	●	●	●

안쌤의
창의적 문제해결력 시리즈

초등 1~2 학년

초등 3~4 학년

초등 5~6 학년

중등 1~2 학년

안쌤의 줄기과학 시리즈

새 교육과정
3~4학년
영역별
STEAM 과학

에너지와 지구 I 16강　　　　물질과 생명 I 16강

새 교육과정
5~6학년
영역별
STEAM 과학

에너지와 지구 II 16강　　　　물질과 생명 II 16강

새 교육과정
중등 영역별
STEAM 과학

물리 24강　　　　화학 16강　　　　생명과학 16강　　　　지구과학 16강

안쌤의
「창의적 문제 해결력」 수학 과학
공통

모의고사 초등 1·2학년

관찰
추천제 사용 설명서

 매스티안

저자 소개

안쌤 영재교육연구소(안재범, 최은화, 이상호, 강미선, 김순미, 이윤정, 신혜진)
상위 1% 학생이 되는 길을 안내하는 이정표로, 학생들이 꿈을 이루어갈 수 있도록
콘텐츠 개발과 강의 연구를 하고 있다.

매월 안쌤의 실시간 강의 수강생 모집

수학 검수

김수연, 강수남, 권영경, 김혜선, 민근희, 박은미, 송경화, 안혜정, 이수연, 홍승언

과학 검수

강미라, 김종욱, 배정인, 윤이현, 이은범, 전익찬, 정영숙, 정유희, 정회은, 최현규

이 교재에 도움을 주신 선생님

강영미, 고려욱, 김민경, 김민정, 김성희, 김영균, 김은수, 김정숙, 김정아, 김정환,
김지영, 김진남, 김진선, 김진영, 김현민, 김형진, 김희진, 노관호, 류수진, 마성재,
박기훈, 박미경, 박선재, 박은아, 박재현, 박지숙, 박진국, 백광열, 서윤정, 손현선,
신석화, 신한규, 어유선, 오소영, 유경아, 유승희, 유영란, 유지유, 윤선애, 윤소영,
이경미, 이미영, 이석영, 이아란, 이은덕, 이진실, 임선화, 임성은, 임은란, 장수진,
장시영, 전정희, 전진홍, 전현정, 전희원, 정지윤, 정대현, 조영부, 조지흔, 채윤정,
채중석, 최용덕, 최지유, 추지훈, 하정용, 한현정, 홍애순

안쌤 영재교육연구소

관찰추천제 사용설명서

관찰추천제 로드맵

가정통신문　p4

* 영재교육대상자 선발 학부모 연수를 진행하고 GED에 서류를 작성하는 과정입니다.
* 학부모님들의 지나친 겸손과 실패에 대한 두려움은 자녀의 발전에 걸림돌이 될 수 있습니다.
* 자녀를 냉철하게 판단하는 것도 좋지만, 약간의 자부심을 갖고 임하셨으면 합니다.

자기추천　p4

* 영재교육을 희망하는 학생이 GED 추천 시스템에 회원 가입 후 로그인하여 본인이 지원하는 기관의 영재교육기관별 지정 서류를 작성합니다.
* 평소대로 자신감 있게 학교생활을 하도록 해주세요. 지나친 의식은 오히려 자녀의 능력을 저해시킬 수 있습니다.

1~2단계 관찰 및 추천　p5

* 담임교사, 교과 담당 교사, 학교장, 관찰추천위원회에서 학교별로 추천할 영재교육대상자를 결정하는 단계입니다.
* 모의고사를 통하여 다양한 평가 방식을 접해봄으로써 숨은 창의성을 발견하고, 키우시 바랍니다.

3단계 창의적 문제해결력 평가　p6

* 영재교육원에서 창의적 문제해결력 평가, 창의적 문제해결력 검사 등으로 최종 선발인원의 1.2배수를 선정하는 과정입니다.
* 기출유형과 예시답안(p8~39)을 통하여 평가방식을 이해한 다음, 모의고사로 자신감을 키우기 바랍니다.

4단계 인성 심층 면접　p7

* 영재교육원 및 영재학급에서 면접과 영재교육대상자 선정심사위원회를 통해 최종 선정하는 과정입니다.
* 토론을 통하여 자신의 사고수준을 향상시킨 다음, 모의 면접을 통하여 자신감을 키우기 바랍니다.

1 서울시교육청의 관찰·추천 과정

단계		추진 내용		기관(담당)
선발 계획 공지	–	지원서 접수 시작일 1개월 전 공고	–	영재교육원
자기추천	–	영재교육 희망자 GED에 서류 작성	–	본인
1단계	–	GED 활용, 관찰 및 추천	–	담임교사 및 교과담당교사
2단계	–	GED 활용, 관찰 및 추천	–	관찰추천위원 및 학교장 추천
응시대상자발표	–		–	평가위원회
3단계	–	창의적 문제해결력 평가	–	영재교육원
4단계	–	인성·심층 면접	–	영재교육원

○ 자기추천 : 영재교육을 희망하는 학생이 GED(영재교육종합데이터베이스)에 회원가입 후 로그인하여 본인이 지원하는 기관의 영재교육기관별 지정 서류 작성
  * GED 홈페이지 주소 : https://ged.kedi.re.kr/

○ 1단계 : GED 추천시스템에서 서류가 제출된 학생을 대상으로 영재행동특성 및 리더십 등 영재교육기관별로 지정한 체크리스트 및 검사도구 작성 후 추천

○ 2단계 : 담임 및 교과담당교사가 추천한 학생을 대상으로 집중관찰 과정을 거쳐 영재 행동특성 및 리더십 등 영재교육기관별로 지정한 체크리스트 작성 및 추천

○ 응시대상자 발표 : 영재교육기관별로 평가위원회를 구성하여 단위학교별 GED 추천시 스템에서 추천된 학생을 대상으로 3단계 응시대상자 발표

○ 3단계 : 3단계 응시대상자를 대상으로 창의적 문제해결력 평가를 실시하여 최종 선발 정원의 1.2배수(일부 기관 1.5배수) 선발

○ 4단계(인성·심층 면접) : 인성·심층면접을 실시하여 3, 4단계 점수 합산 후 최종합격 자 선발 (※ 4단계 미응시자는 불합격 처리함)

1 영재교육대상자 관찰·추천 선발 안내

가. 영재교육대상자 선발 학부모 연수

교사관찰 추천제 안내 및 선발에 필요한 사항을 안내한다.

나. 영재교육희망자 신청

관찰·추천 평가 대상 희망 지원서와 개인정보 수집 및 처리 동의서를 제출한다.

2 GED에 서류 작성

○ 자기추천이란 선발 전형에서 영재교육을 희망하는 학생 본인이 직접 서류를 작성하여 원하는 지역 영재교육원에 지원하는 제도이다. 작년까지는 제한된 인원을 학교가 결정하여 자체 평가 후 관찰추천 대상자를 선정하였다. 하지만 자기추천을 실시하게 되면 학급별 제한 인원이 없어져 누구나 지원 기회를 갖고 관찰추천 대상자로 반영된다.

○ 선발지원을 희망하는 모든 학생은 GED(영재교육종합데이터베이스-https://ged. kedi.re.kr)에 회원가입을 한다.

○ 홈페이지의 영재지원(학생)을 클릭하여 '선발-영재지원'에서 온라인 지원서, 창의적 인성검사, 리더십 특성 검사, 자기보고서를 작성한다.

　GED의 학문적성, 리더십, 창의적 인성 체크리스트를 활용하여 영재성을 판별하므로 정확하고 신중하게 작성한다.

Ⅲ 1단계 : 교사관찰 및 추천

○ 교사는 선발 지원을 희망하는 모든 학생에 대하여 관찰을 시행한다.

○ 영재추천(교원) 버튼을 클릭하여 온라인 추천서를 작성한다.

○ 한 학생에 대하여 1인의 교사(담임교사 및 교과담당교사)가 추천한다.

○ 교사는 GED 체크리스트(3종), 개별추천인 추천이유(종합의견) 작성한다.

Ⅳ 2단계 : 학교추천위원회 추천

 집중 관찰의 의미

2단계는 관찰과 수행 중심의 포트폴리오를 근거로 여러 상황에서 관찰된 인지적 특성, 리더십, 창의성, 과제 집착력 등 다양한 준거를 활용하여 평가한다. 일회적인 평가가 아니라 꾸준한 관찰과 반복을 통한 평가 과정이다.

 영역별 집중 관찰 방안

영역	차시	관찰 과정	비고
수학 과학 정보	1	탐구 주제 나열하기	
	2	탐구주제 정하고 계획 세우기	
	3~5	자유탐구 수행, 탐구보고서 작성하기	
	6	면담하기	
미술	1	자신이 그린(만든) 작품 소개하기	
	2~3	제시된 주제에 대한 작품 구상하기	
	4~5	작품 그리기(만들기)	
	6	면담하기	

1 시행 방법

3단계는 학습능력과 창의적 문제해결 능력을 평가하는 단계이다. 이 단계에서는 다양한 방법을 활용할 수 있다.

다음은 이미 개발되어 시범으로 시행하였던 수업 모형 예시이다. 수업은 '듣고 탐구하여 산출물을 제출하는 형식'으로 이루어진다. 개발된 수업은 고사장 전체에 똑같이 제공되며 동영상 수업으로 진행한다. 방송실에서 통제를 하면 평가자에 따른 변수를 최소화할 수 있다. 기존의 학생들이 접하지 못했던 주제, 사교육의 영향을 최대한 배제할 수 있는 주제를 수업으로 제공한다. 학생들의 수업 과정 중의 반응과 활동하는 태도, 과정을 관찰한 관찰 점수와 학생들의 활동 결과인 산출물을 평가한 점수를 합산하여 점수를 산출한다.

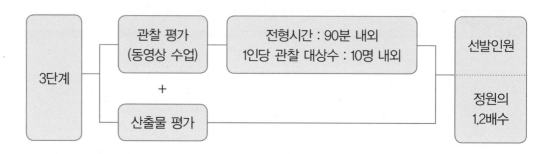

2 운영시 유의점

가. 문제 출제 시 유의점

○ 다양한 영역을 통합한 과제로 제시
○ 수업내용을 명확하고 간단한 과제로 제시
○ 선행학습 및 사교육을 배제한 과제로 제시

나. 수업 관찰 평가 시 유의점

3단계는 관찰 평가와 산출물 평가로 이루어진다. 산출물 평가는 평가지가 있기 때문에 평가 과정에서 채점 기준과 평가 점수를 수정할 수 있다. 그러나 관찰 평가는 학생들이 활동을 수행하는 과정을 평가하기 때문에 사전협의회를 통해 수업내용과 활동, 관찰해야하는 학생들의 행동과 중요한 실험과정들을 충분히 숙지해야 한다. 또한, 객관성을 최대한 확보하기 위해 관찰 평가자간의 체크리스트 점수에 대한 평가 기준을 협의하여야 한다.

관찰·추천에 의한 영재교육대상자 선발 4단계는 면접이다. 면접을 통해 인성뿐만 아니라 사교육에 의한 선행학습 요인을 배제하고, 창의성과 과제집착력 등 보다 다양한 학생의 특성을 확인하게 된다. 2012학년도 선발 전형에서 면접 평가는 점수화하지 않고 적격 여부만을 확인하였고, 2013학년도 선발 전형부터 면접 평가는 다음과 같이 점수화 하고, 인성·심층 면접으로 진행하고 있다.

분야 \ 영역	리더십 (자아정체성)	문제해결 능력	창의적 태도	계
수학, 과학 정보, 미술	4점	3점	3점	10점

 면접 방법

영재교육대상자 선발을 위한 면접은 개별 심층 면접으로, 질문지 등을 활용한 지시적 면접 방식으로 진행된다. 학생은 면접 고사장에 들어가기 전 면접 준비실에서 주어진 시간 동안 문항지를 보고 답안을 미리 생각한 후 면접에 참여한다.

 면접 과정

면접 대기실	면접 준비실	면접 고사장
수험생은 감독위원의 지시가 있을 때까지 대기실에서 기다린다.	감독위원의 지시에 따라 면접 준비실로 이동한 후 주어진 시간 동안 문항지를 보고 답안을 미리 생각한다.	정해진 시간 동안 미리 생각한 답안을 면접위원에게 설명한다.

면접 문항 유형

문항 유형	내　용
인성	학생의 사고와 태도 및 행동 특성을 파악
학문적성	창의적 문제해결 수행과 관련있는 학문적 지식 확인
창의성	영재의 중요한 특성 중의 하나인 창의성 확인
과제집착력	창의적 수행과정과 관련된 문항으로 과제집착력 확인

2013학년도 서울시 교육청 관찰추천제 3단계 창의적 문제해결력 평가는 관찰추천제가 처음 시행됐던 2012학년도와 달리 탐구수행 관찰 문제의 비율(50점/100점)이 높아졌다. 2014학년도부터 수과학 융합 분야로 초등학교 2학년을 선발하기 시작했고 2015학년도에서는 발명 아이디어를 내는 융합 문제가 출제되었다. 2016학년도 서울시 교육청 영재교육원에서는 탐구수행 관찰 문제 또는 발명 아이디어 문제가 출제될 것으로 예상된다.

2015학년도 관찰추천제 3~4단계 기출유형과 예시답안을 초등학교 2학년부터 중학교 2학년까지 수록했으니 풀어보면서 유형 파악을 하는 것이 좋다.

관찰추천제 3단계 창의적 문제해결력 평가 기출유형

1. 교육청 영재교육원, 영재학급 3단계 창의적 문제해결력 평가 (2학년)

수학 융합

1. 다음 식에서 숫자를 옮겨 식이 성립하도록 바꾸시오.

$$82-14=76$$

[답안 작성]

[예시답안]
86 - 14 = 72, 86 - 74 = 12, 68 - 47 = 21, 68 - 41 = 27

[해설] 8 - 7 = 1, 6 - 4 = 2를 활용할 수 있도록 식을 적절히 변형하면 된다.

2. 다음은 축구공의 전개도 그림이다.

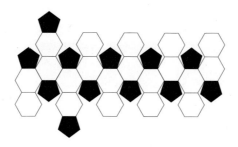

(1) 축구공 전개도의 특징을 적으시오.

[답안 작성]

[예시답안]
- 축구공은 꼭지점 하나에 정육각형 2개, 정오각형 1개를 붙여서 만든 입체도형이다.
- 모든 평면도형의 변의 길이가 같다.
- 면의 개수가 32개인 32면체이다.
- 정오각형 12개, 정육각형 20개로 이루어진 도형이다.
- 한 꼭짓점에 모이는 도형의 개수가 3개이다.
- 꼭짓점의 개수는 60개이고, 모서리의 개수는 90개이다.

[해설] 축구공은 정이십면체의 꼭지점을 잘라서 만든 도형이다.

(2) 오각형 한 변 길이가 5 cm일 때 축구공 둘레의 길이를 구하시오.

[답안 작성]

[예시답안]
입체도형의 모서리의 개수는 모두 90개이므로 90×5 cm = 450 cm이다.

[해설] 원래 정이십면체의 꼭짓점의 개수는 12개, 모서리의 개수는 30개이다. 정이십면체의 꼭짓점을 하나 자를 때 마다 오각형의 면이 하나씩 더 생기므로 준정다면체인 축구공 모양의 입체도형의 모서리의 개수는 30+12×5 = 90개이다.

1. 가, 나, 다의 그림은 새의 부리 모습이다.

(가) 저어새　　　　(나) 왜가리　　　　(다) 독수리

(1) 부리 모습을 보고 각 새가 어떤 먹이를 먹는지 쓰시오.

[답안 작성]

[예시답안]
- 저어새 부리는 넓적한 주걱 모양이므로 물속에 있는 물고기, 물풀 등의 먹이를 걸러 먹기에 알맞다.
- 왜가리 부리는 창처럼 길고 뾰족하여 물고기, 개구리, 쥐, 뱀, 곤충 등의 작은 먹이를 찔러서 잡기에 알맞다.
- 독수리 부리는 끝이 갈고리처럼 휘어지고 튼튼해서 비둘기, 오리 등의 작은 먹이를 찢기에 알맞다.

[해설] 새 부리는 살아가는 환경과 먹이의 종류에 따라 다른 모양으로 발달한다.

(2) 새 부리의 모습이 다르게 생긴 이유를 생각하여 부리의 쓰임새를 다섯 가지 쓰시오.

[답안 작성]

[예시답안]
- 새 부리는 먹이를 먹을 때, 깃털을 다듬을 때, 먹이를 사냥할 때, 둥지를 만들 때, 체온 조절 등에 사용한다.

[해설] 새 부리는 혈관이 모여 있는 곳이며 표면은 딱딱한 키틴질로 싸여 있기 때문에 수분이 날아가지 않는다. 부리는 더운 날 수분 손실을 최대한 억제하면서 열을 내보내 체온을 조절한다.

융합

1. 동물이나 사물을 본 떠서 물건을 만든 것들이 많다. 비행기는 새를 본 떠 만들었다.

   ① 전신수영복은 무엇을 본 떠 만들었는가?

   [답안 작성]

   ② 잠자리를 본 떠 만든 것은 무엇인가?

   [답안 작성]

   ③ 벨크로(찍찍이)는 무엇을 본 떠 만든 것인가?

   [답안 작성]

   [예시답안]
   ① 전신 수영복은 상어의 피부를 본 떠 만들었다.
   ② 잠자리 날개의 펄럭거림을 본 떠 비행로봇을 만들었다.
   ③ 벨크로는 우엉 씨를 본 떠 만들었다.

   [해설] 상어의 비늘을 확대해 보면 작은 갈비뼈 모양으로 홈이 파여 있다. 물체의 표면에 갈비뼈 모양의 홈을 달면 표면 마찰 저항을 줄일 수 있어 빠르게 수영할 수 있다.

전신 수영복 표면
상어피부

▲ 잠자리 로봇

▲ 우엉씨앗

수학

1. 8×9칸 사각형이 있다.

(1) 8칸×9칸 사각형에 색칠을 하려고 할 때 모든 변이 닿지 않도록 하고, 가장 많은 칸을 색칠하려고 한다. 색칠되는 칸의 수는 몇 개인가?

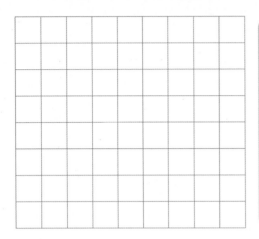

[답안 작성]

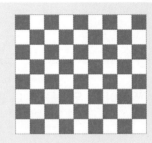

[예시답안] 색칠되는 칸의 수는 5×4 + 4×4 = 4×9 = 36칸이다.

[해설] 문제의 조건에 맞게 칸을 색칠해보고, 규칙성을 찾는다.

(2) 색칠한 도형의 둘레를 구하시오. (정사각형의 한 변의 길이는 1이다.)

[답안 작성]

[예시답안] 한 변의 길이가 1이므로 36×1×4 = 144이다.

[해설] 모든 변이 서로 닿지 않으므로 색칠한 도형의 둘레의 길이는 정사각형의 개수×한 변의 길이×4와 같다.

(3) 11칸×12칸 사각형인 경우 (1)과 같은 방법으로 색칠했을 때 색칠한 도형의 둘레를 구하시오.

[답안 작성]

2. 주어진 수열을 보고 오른쪽으로 10번째, 아래쪽으로 4번째 줄의 수를 구하시오.

1	2	9	10	25	26
4	3	8	11	24	27
5	6	7	12	23	28
16	15	14	13	22	29

[답안 작성]

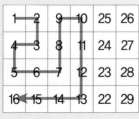

1. 다음 실험을 보고 물음에 답하시오.

투명한 플라스틱 컵 (가)와 종이컵 (나)에 포도 주스와 얼음을 넣고 물기를 닦고 전자저울에 올려 무게를 재보니 200 g이었다.

(가) 플라스틱 컵　　　　　(나) 종이컵

하루가 지난 후, 두 컵에 나타나는 변화와 차이를 예상하여 쓰시오. (단, 유리판, 컵, 접시의 무게는 고려하지 않는다.)

[답안 작성]

[예시답안]
하루가 지나면, 플라스틱 컵의 무게는 그대로지만 종이컵의 무게는 증가한다. 포도 주스와 얼음을 컵에 넣어 두면 포도 주스의 온도가 내려가 컵 표면에 공기 중의 수증기가 물방울로 바뀌는 이슬이 맺힌다. 플라스틱 컵에 맺힌 이슬은 시간이 지나면 증발해 사라지므로 무게가 같지만, 종이컵은 이슬을 흡수하므로 무게가 증가한다.

[해설] 두 컵 모두 위에 유리판을 덮었기 때문에 포도 주스가 증발하지 않으므로 주스의 양은 같다.

2. 실생활 속에서 응결과 증발의 예를 찾아 각각 두 가지씩 쓰시오.

[답안 작성]

3. 가위에 새로운 기능을 추가하여 발명품을 만드시오.

[답안 작성]

4. 2015학년도 서울시 교육청 영재교육원, 영재학급 심층면접 (3, 4학년)

1. 20개의 상자에 각각 20개의 금반지가 들어 있다. 금반지 1개의 무게는 10 g이고 각 상자에는 모두 200 g의 금반지가 있다. 그러나 20개의 상자 중 1개의 상자에는 가짜 금반지가 있다. 가짜 금반지는 1개의 무게가 9 g이고, 20개의 무게가 180 g이다. 전자저울을 한번만 사용하여 가짜 금반지가 들어있는 상자를 찾을 수 있는 방법을 설명하시오.

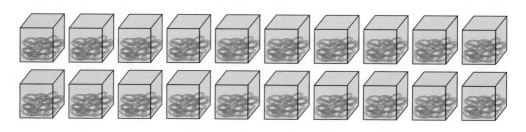

[답안 작성]

[예시답안]
각 상자에 1, 2, 3, …, 20까지 번호를 정하고, 1번 상자에서 금반지 1개, 2번 상자에서 금반지 2개, …, 20번 상자에서 금반지 20개를 꺼내어 그 무게를 저울을 사용하여 측정한다.
만약 모든 금반지가 진짜라면 그 무게는 (1 + 2 + 3 + … + 20)×10 g = 21×10×10 g = 2100 g일 것이다.
이 무게와 측정한 무게사이의 차를 이용해 어느 상자에 가짜 금반지가 들어있는지 알 수 있다.
만약 측정한 무게가 2097 g이라면 2100 g - 2097 g = 3 g이므로 3번 상자에 가짜 금반지가 들어있다는 것을 알 수 있다.

[해설] 각 상자에 번호를 정하고, 그 번호 만큼의 반지의 수를 꺼내어 무게를 측정한다.

2. ㉠~㉢ 5대의 차가 경주를 하고 있다. 5대의 차 중 ㉠, ㉢, ㉢은 빨간색이고 ㉡, ㉣은 파란색이다. 처음 5대의 순위는 ㉠-㉡-㉢-㉣-㉢이고, (가)부터 (마)까지 변화가 차례로 일어났다. 각 단계별로 차량의 순위를 쓰시오. (단, 추월은 바로 앞에 달리고 있는 차 1대만을 할 수 있다.)

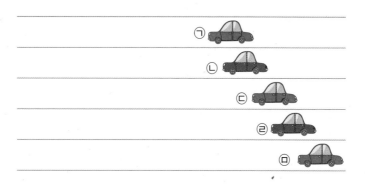

(가) ㉣이 ㉢을 추월했다.

(나) 파란색 차가 파란색 차 1대를 추월했다.

(다) 파란색 차가 빨간색 차 1대를 추월했다.

(라) 빨간색 차가 빨간색 차 1대를 추월했다.

(마) 빨간색 차 2대가 파란색 차 2대를 추월했다.

[답안 작성]

[예시답안]
• 처음 : ㉠ 빨간색 차 - ㉡ 파란색 차 - ㉢ 빨간색 차 - ㉣ 파란색 차 - ㉢ 빨간색 차
• (가) : ㉠ 빨간색 차 - ㉡ 파란색 차 - ㉣ 파란색 차 - ㉢ 빨간색 차 - ㉢ 빨간색 차
• (나) : ㉠ 빨간색 차 - ㉣ 파란색 차 - ㉡ 파란색 차 - ㉢ 빨간색 차 - ㉢ 빨간색 차
• (다) : ㉣ 파란색 차 - ㉠ 빨간색 차 - ㉡ 파란색 차 - ㉢ 빨간색 차 - ㉢ 빨간색 차
• (라) : ㉣ 파란색 차 - ㉠ 빨간색 차 - ㉡ 파란색 차 - ㉢ 빨간색 차 - ㉢ 빨간색 차
• (마) : ㉠ 빨간색 차 - ㉣ 파란색 차 - ㉢ 빨간색 차 - ㉡ 파란색 차 - ㉢ 빨간색 차

[해설] 추월은 바로 앞에 달리고 있는 차 1대만 할 수 있으므로 (가)부터 (라)까지 각 단계별로 추월이 가능한 차량을 찾아 5대의 차량 순위를 변경한다.

1. 우주인이 되어 달에서 생활을 해야 한다면 어떠한 기능을 갖춘 우주복을 입어야 할지 달의 환경을 고려하여 7가지 설명하시오.

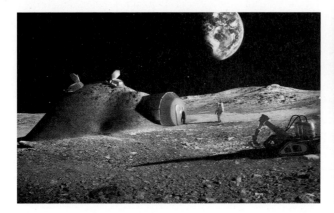 

[답안 작성]

[예시답안]
• 온도를 일정하게 유지해 주는 장치가 있어야 한다.
• 산소를 공급하는 장치가 있어야 한다.
• 기압을 일정하게 유지해 주는 장치가 있어야 한다.
• 헬멧을 썼을 때 외부와 통신이 가능한 장치가 있어야 한다.
• 움직일 때 힘들지 않도록 관절 부분에 주름이 많아야 한다.
• 쉽게 찢어지지 않는 소재로 만들어야 한다.
• 식수를 공급할 수 있는 장치가 있어야 한다.

[해설] 달은 지구와 달리 대기압이 작용하지 않고 산소가 없으며 태양열에 의한 극고온과 극저온의 환경이 반복되는 공간이다. 또한, 빠른 속도로 날아다니는 우주먼지와 각종 전자파 및 방사능 등이 우주비행사들을 위협하고 있다. 따라서 달에서 입는 우주복에는 우리 몸을 보호 할 수 있는 최첨단 장치가 있어야 한다.

2. 아래 사진에서 한 개의 식물을 골라 식물의 생김새나 특징을 말하고 생활 속에서 그 식물의 특징을 이용하는 예를 설명하시오.

▲ 연잎

▲ 도깨비바늘 씨앗

▲ 단풍나무 씨앗

▲ 부레옥잠

[답안 작성]

[예시답안]
- 연잎 : 물방울이 맺히지 않고 동그랗게 뭉친다. 벽, 자동차, 운동화, 기능성 의류 표면에 연잎처럼 물이 맺히지 않고 흘러내리도록 하면 젖지 않고 항상 깨끗한 상태를 유지할 수 있다.
- 도깨비바늘 : 씨 끝에 가시 같이 짧고 날카로운 바늘이 사방을 향해 벌어져 있어 옷이나 털에 박혀 잘 빠지지 않는다. 도깨비바늘 씨앗을 본떠 낚시 바늘이나 작살을 만든다.
- 단풍나무 씨앗 : 씨앗 양쪽에 날개가 있어 바람에 잘 날리게 한다. 단풍나무 씨앗의 날개를 본떠 헬리콥터 프로펠러를 만든다.
- 부레옥잠 : 아랫부분에 공기 들어 있는 공기주머니가 있어 물에 잘 뜨게 한다. 튜브나 부표 등이 공기주머니를 이용한다.

[해설] 자연에서 볼 수 있는 디자인적 요소들이나 생물체가 갖고 있는 다양한 특성이나 기능을 모방하여 이용하는 기술을 생체모방기술이라고 한다. 현재의 생체모방학은 새로운 생체물질을 만들고, 새로운 지능 시스템을 설계하며, 생체 구조를 그대로 모방하여 새로운 디바이스를 만들고, 새로운 광학 시스템을 디자인하는데 많은 도움을 주고 있다. 생체모방이 학문으로 정리된 것은 최근이지만 그 역사는 매우 오래되었다. 원시시대에 사용했던 칼과 화살촉 등의 사냥 무기들은 짐승의 날카로운 발톱을 보고 만들었다. 다른 생물들의 생활과 자연을 관찰하면서 필요에 맞는 지식을 얻어 적용함으로써 생체모방을 하고 있었다.

5. 2015학년도 서울시 교육청 영재교육원, 영재학급 3단계 창의적 문제해결력 평가 (5, 6학년)

1. 두 거울 사이의 각도와 거울에 비치는 상의 개수는 다음과 같다.

> 두 거울 사이의 각이 180°일 때 – 거울에 비치는 상의 개수 1개
> 두 거울 사이의 각이 90°일 때 – 거울에 비치는 상의 개수 3개
> 두 거울 사이의 각이 60°일 때 – 거울에 비치는 상의 개수 5개

(1) 두 거울 사이의 각도와 거울에 비치는 상의 개수 사이의 규칙성을 찾고, 두 거울 사이의 각이 30°일 때 거울에 비치는 상의 개수를 구하시오.

[답안 작성]

[예시답안]
두 거울 사이의 각이 90°일 때 거울에 비치는 상의 수는 3개, 60°일 때 거울에 비치는 상의 수는 5개이므로
상의 개수 = 360° ÷ 거울 사이의 각 – 1로 구할 수 있다.
따라서 거울 사이의 각이 30°일 때 거울에 비치는 상의 개수는 360° ÷ 30° – 1 = 11개이다.

[해설] 두 거울 사이의 각도와 거울에 비치는 상의 개수 사이의 규칙성을 찾는다.

(2) 두 거울 사이의 각도가 90°일 때 물체와 물체의 상은 사각형을 이룬다. 물체와 물체의 상이 오각형을 이룰 때 두 거울 사이의 각도를 구하시오.

[답안 작성]

[예시답안]
거울 사이의 각이 90°일 때 : 사각형,
거울 사이의 각이 60°일 때 : 육각형
거울 사이의 각 = 정다각형의 한 내각의 크기이다.
정오각형의 한 내각의 크기는 72°이므로 오각형일 때의 거울 사이의 각도는 72°이다.

[해설] 거울 사이의 각도와 거울에 비치는 상과 물체로 만들어지는 정다각형의 한 내각 사이의 규칙성을 찾는다.

2. 다음은 성냥개비 6개로 만든 도형이다. 이 도형의 넓이의 2배가 되는 도형을 성냥개비 12개로
만드시오.

[답안 작성]

[예시답안]

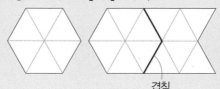

[해설] 성냥개비 6개로 만든 정육각형의 넓이를 6등분하면 다음과 같다. 위 육각형 모양 도형의 넓이의 2배가 되기 위해서는
육각형을 이루는 작은 정삼각형 12개와 넓이가 같은 도형을 만들면 된다.

겹침

위와 같은 도형은 넓이는 2배이지만 사용된 성냥개비 개수가 10개 뿐이므로 문제의 조건에 맞지 않는다.

1. 철수는 아래 사건의 원인을 알아보기 위해 실험을 하였다.

> [사건] 2014년 8월 00일, 000씨는 남대문 야외 주차장에 차를 주차한 뒤 자는 아이를 두고 내렸다.
> 잠시 후, 안전요원 000씨가 아이가 차 안에 쓰러져 있는 것을 보고 119에 신고하였다. 차 안에 혼자
> 있던 아이는 차 안의 온도가 너무 많이 올라가 잠시 기절했지만, 다행히 생명에는 지장이 없었다.
>
> [실험]
> ① 스타이로폼 상자 두개에 온도계를 넣고 하나는 유리판을 덮고 다른 하나는 덮지 않는다.
> ② 두 스타이로폼 상자를 햇빛이 비치는 곳에 두고 5분
> 간격으로 스타이로폼 상자 안의 온도를 측정한다.

(1) 위 실험에서 철수가 생각한 가설은 무엇인가?

[답안 작성]

(2) 위 실험에서 같게 해 주어야 할 조건(세 가지)과 다르게 해 주어야 할 조건(한 가지)을 적으시오.

[답안 작성]

(3) 다음은 위 실험의 결과이다. 그래프 A와 B 중 유리판을 덮은 스타이로폼 상자는 무엇인 가? 그렇게 생각한 이유를 서술하시오.

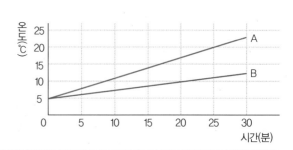

[답안 작성]

(4) 실험장치의 온도 변화가 위 그래프와 같이 나타난 이유는 무엇 때문인지 쓰시오.

[답안 작성]

(5) 실험장치의 온도가 올라가지 않게 하기 위한 방법과 여름철 차 안의 온도가 올라가지 않게 하기 위한 방법을 각각 서술하시오.

[답안 작성]

(6) 일사병의 원인을 실험에서 찾고 해결 방안을 세 가지 쓰시오.

[답안 작성]

[예시답안]
(1) 밀폐된 곳에서는 온도가 빨리 올라갈 것이다.
(2) • 같게 해야 할 것 : 스타이로폼 상자의 부피, 빛의 세기, 상자와 빛의 간격 등
    • 다르게 해야 할 것 : 상자의 밀폐
(3) A는 유리판을 덮은 스타이로폼 상자이고, B는 유리판을 덮지 않은 스타이로폼 상자이다. 스타이폼 상자를 유리판으로 덮으면 밀폐되어 열이 빠져나가지 못하기 때문이다.
(4) 유리판을 덮으면 열이 스타이로폼 상자 내부에 갇혀 있으므로 온도가 빨리 올라간다. 하지만 유리판이 없으면 데워진 스타이로폼 상자 내부의 공기가 밖으로 빠져나가고 상대적으로 온도가 낮은 공기가 상자 안으로 들어오는 순환이 일어나므로 온도가 빨리 올라가지 않는다.
(5) • 실험장치 : 스타이로폼 상자 내부의 공기가 순환할 수 있도록 뚜껑을 열어 두고 공기가 빠르게 순환할 수 있도록 선풍기를 틀어준다. 햇빛을 반사할 수 있도록 스타이로폼 상자 위쪽에 반사판을 설치한다.
    • 차 : 그늘에 주차하고 창문을 열어 두어 공기가 순환하도록 한다. 차가 햇빛을 받지 않도록 커버를 씌운다.
(6) 일사병은 오랫동안 높은 온도에 있을 때 체온이 상승하여 나타나는 병이다. 일사병을 예방하기 위해서는 오랜 시간 동안 뜨거운 햇빛 아래 있지 않아야 하고, 시원한 물을 자주 마시고, 바람이 잘 통하는 곳에서 충분히 휴식해야 한다.

수학

1. 아래 그림과 같이 크기가 같은 정사각형 2개와 직각삼각형 2개가 있다.

이 도형들을 모두 이용하여 각 도형들의 변끼리 붙여서 만들 수 있는 새로운 도형 10개를 그리시오. (단, 돌리거나 뒤집어서 모양이 같으면 같은 도형으로 인정한다.)

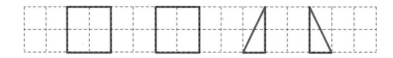

[예시답안]

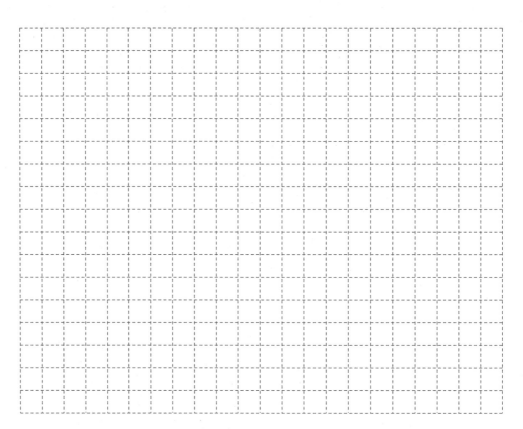

2. 그림과 같은 정사각형 모양의 타일이 30개 있다. 이 타일들을 배열하여 하나의 직사각형을 만들었을 때, 다음 〈조건 1〉~〈조건 3〉을 만족하는 표를 완성하고, 타일의 배열 상태와 모퉁이에서 만들어지는 원의 개수가 왜 그렇게 나타나는지 이유를 답안지에 쓰고 설명하시오.

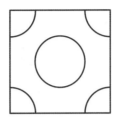

〈조건 1〉 타일의 모퉁이에 있는 사분원은 모두 같은 크기이다.

〈조건 2〉 타일을 배열하여 직사각형을 만들 때 남는 타일이 없어야 한다.

〈조건 3〉 배열 상태가 달라도 만들어지는 원의 개수가 같으면 같은 것으로 인정한다.

[답안 작성]

[예시답안]

배열 상태	2×15	3×10	5×6
원의 개수	14개	18개	20

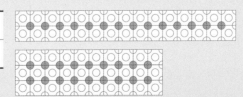

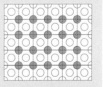

배열 상태에 따라 나타나는 원의 개수는 배열된 타일의 가로와 세로의 개수에서 각각 1을 뺀 것을 곱한 것과 같다. 그것은 4개의 타일이 모여야 모퉁이에서 1개의 원이 만들어지고, 거기에 가로 또는 세로 2개의 타일이 더해질 경우 모퉁이에서 원이 1개씩 늘어나기 때문이다.

1. 다음은 국립공원 대피소 이용 안내에 대한 내용이다.

> 산악 대피소는 악천후를 만나거나 몸이 아파 산행을 진행하기 힘들 때 대피하는 장소이다.
>
>
>
> • 대피소는 고산지에 위치하여 물 공급이 원활하지 못하며, 근처의 샘에서 나오는 지하수는 식수 공급과 자연 보호를 위해 세면, 양치질, 설거지 등을 제한한다.
>
> • 쓰레기는 되가져가야 하므로 비닐봉지를 준비하고 쓰레기가 많이 발생하지 않는 음식물을 준비해야 한다.
>
> • 여름철에는 우의나 우산을 준비하며, 겨울철에는 꼭 방한장비를 준비해야 한다.
>
> • 안전사고에 대비해 야간 조명등을 준비해야 한다.

안전을 담당하는 공학자로서 새로운 산악 대피소를 설계하려고 할 때, 산악 대피소를 만들기 위한 설계 요건을 다섯 가지 제시하시오.

[답안 작성]

[예시답안]
• 에너지 문제 해결 : 태양열에너지를 이용한 발전기를 설치하여 야간에 조명을 켜고, 겨울철에 난방을 할 수 있도록 한다.
• 식수 문제 해결 : 빗물 정화 장치를 설치하여 빗물을 식수로 활용할 수 있도록 한다.
• 폐기물 문제 해결 : 음식물 쓰레기 등의 폐기물 처리를 위한 시설을 만들어 환경 오염을 막도록 한다.
• 시설의 규모 문제 해결 : 바람, 눈 등의 악천후에 대한 시설의 안전성을 고려하여 그 규모를 정하도록 한다.
• 생태계 문제 해결 : 생태계에 영향을 덜 주기 위해 고산지 나무와 친환경 소재를 사용하도록 한다.
• 조난자 구조 문제 해결 : 조난자의 구조가 용이할 수 있도록 접근이 가능한 장소에 설치하도록 한다.

[해설] 대피소는 비상시에 대피할 수 있도록 만들어 놓은 곳으로 취사시설, 연료, 침상과 같은 편의시설이 없으며, 간단한 구조의 가막사 형태를 지닌 구조물이다. 북한산의 엠포르 대피소나 한라산의 진달래 대피소가 이런 형태의 구조물이라 할 수 있다. 대피소는 인적이 드물고 위험성이 높은 지형에 설치되어 비상시에 이용할 수 있도록 배려되어야 하지만 몇몇 대피소는 이런 조건이 무시된 채 위치 선정이 잘못되어 대피처로서의 기능을 제대로 못하는 곳도 있다. 또한 현재 우리나라 국립공원의 대피소들은 본래의 취지와는 달리 산장처럼 운영되는 곳이 많다.

2. 그림은 육식동물과 초식동물의 소화관을 나타낸 것이다. 육식동물과 초식동물의 소화관 전체 길이와 소장, 대장의 길이 차이를 비교하고, 그 이유를 각각에 대해 과학적으로 네 가지 설명하시오.

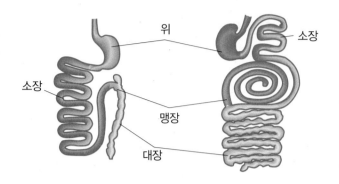

[답안 작성]

[예시답안]
• 육식동물은 초식동물에 비해 소장이 길고, 대장은 짧고 반듯하며 편평하고 매끄럽다. 소화관 전체 길이는 짧다.
• 초식동물은 육식동물에 비해 소장은 짧지만 대장이 길고 특히 맹장이 발달했다. 소화관 전체 길이가 육식동물보다 길다.
• 초식동물의 먹이인 풀은 식물세포이므로 동물세포에 없는 세포벽이 있다. 세포의 가장 바깥쪽에 있는 세포벽을 분해해야 식물세포의 영양분을 흡수할 수 있다. 그러나 세포벽은 소화가 잘 되지 않아 분해하는 데 오랜 시간이 걸리므로 소화기관 안에 음식물을 오래 두기 위해 소화관 전체 길이가 길다. 반면, 육식동물의 먹이인 고기는 세포막으로만 이루어져 있고 세포막은 쉽게 분해되기 때문에 소화관 전체 길이가 길지 않아도 된다.
• 육식동물은 고기를 부수지 않고 그대로 삼키므로 이를 분해하기 위해 소장이 길다.
• 맹장에는 식물세포의 섬유질 소화를 도와주는 미생물이 살고 있으므로 초식동물의 경우 맹장이 매우 발달했고 크다.
• 고기는 오랜 시간 동안 내장 안에 머물면 체내에서 부패하기 쉽고 독소가 생산되어 간과 신장에 부담을 주기 때문에 소화가 덜 된 고기 찌꺼기 등을 신속하게 체외로 배설시켜야 하기 때문에 대장이 짧다.
• 초식동물은 일반적으로 많은 양의 먹이를 먹기 때문에 이를 소화시키기 위해 소화기관이 육식동물보다 길다.

[해설] 육식동물의 경우 내장의 길이는 코끝부터 등뼈끝까지의 길이의 3배 정도 되고, 초식동물의 내장은 몸길이의 12~20배 정도 된다. 초식동물은 물과 전해질, 비타민의 흡수와 함께 식물섬유를 발효하기 위해 대장이 발달했기 때문이다. 토끼 등의 일부 초식동물은 맹장이 소화기관의 40%를 차지한다.

수학

1. 오각형이 다음과 같이 겹쳐진 채로 그려져 있다. 겹쳐진 오각형의 개수에 따라 생기는 점의 개수와 나눠진 면의 개수에 관한 표를 만들고 규칙을 쓰시오.

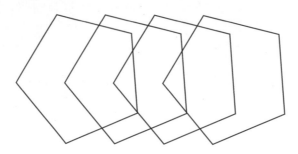

[답안 작성]

[예시답안]

오각형의 개수	2	3	4
점의 개수	2	6	10
면의 개수	3	7	11

오각형의 개수가 1개씩 늘어남에 따라 생기는 점의 개수와 나누어진 면의 개수 모두 4개씩 증가하는 규칙이다.

[해설] 오각형의 개수가 하나씩 늘어남에 따라 생기는 점과 나누어지는 면의 개수 사이의 규칙성을 찾는다.

2. 다음 물음에 답하시오.

(1) 한번 접어서 같은 모양이 되는 것과 두번 접어도 같은 모양이 되는 글자를 골라 쓰시오.

[답안 작성]

[예시답안]
• 한번 접어도 같은 모양이 되는 글자 : 마, 머, 며, 먀, 미, 모, 무, 뮤, 므, 묘, 보, 뵤, 부, 뷰, 브, 아, 야, 어, 여, 오, 요, 우, 유, 으, 이, 소, 수, 스, 슈, 호, 흐, 효, 후, 타, 터, 텨, 탸, 티, 추, 슈, 츠, 초, 조, 죠, 주, 쥬, 파, 퍄, 퍼, 펴, 포, 표, 푸, 퓨, 프, 피, 웅, 응, 뭉, 몸, 봄, 봄, 봉, 종, 몽, 옹, 용, 욤, 옴, 융, 송, 솜, 숨
• 두번 접어도 같은 모양이 되는 글자 : 응, 믐

[해설] 한 번 접어 같은 모양이 되는 글자는 자음과 모음이 선대칭이고 대칭축이 1개이어야한다. ㅂ, ㄷ, ㅅ, ㅈ, ㅊ, ㅎ, ㅏ, ㅑ, ㅓ, ㅕ, ㅗ, ㅛ, ㅜ, ㅠ 등이 있으므로 이 자음과 모음을 조합한 글자가 한번 접어도 같은 모양의 글자가 된다. 두 번 접어서 같은 모양이 되는 글자 역시 자음과 모음이 선대칭이어야 하고 대칭축이 2개이상이어야 한다. ㅁ, ㅇ, ㅣ, ㅡ 등이 있으며 이 자음과 모음을 조합한 글자는 두번 접어도 같은 모양의 글자가 된다.

(2) 자음과 모음 중 하나를 골라 두 글자 단어를 만든 뒤 그 단어를 그리고 그림에서 그 단어를 찾아 표시하시오.

[답안 작성]

[예시답안]
선택한 자음 : ㅇ, 만든 두 글자의 단어 : 가위

가위 손잡이의 ㅇ을 찾을 수 있다.

[해설] 자신이 선택한 자음이나 모음을 이용해 단어를 만들고 그 단어에서 선택한 자음이나 모음을 찾을 수 있도록 그림을 그린다.

1. 다음과 같이 수조에 검정말을 거꾸로 세워 고정한 후 검정말을 비추는 전등의 거리를 다르게 하면서 빛을 5분 동안 비추었다. 전등과 검정말 사이의 거리와 시험관 속의 기포 발생 수는 다음과 같았다.

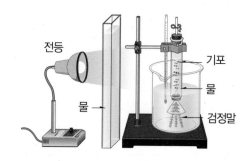

전등과 검정말 사이의 거리(cm)	0	5	10	15	20	…
검정말 기포 발생 수(개)	0	30	28	20	10	…

(1) 검정말이 광합성을 한다는 증거를 두 가지 쓰시오.

[답안 작성]

[예시답안]
• 검정말에서 산소가 발생한다.
• 모아진 기체에 불꽃을 가까이 하면 잘 탄다.
• 검정말을 꺼내어 엽록소를 제거한 후 아이오딘-아이오딘화 칼륨 용액을 뿌리면 잎이 청람색으로 바뀐다.

[해설] 식물은 엽록체에서 빛에너지를 흡수하여 이산화 탄소와 물을 원료로 하여 포도당을 만들고 산소를 방출한다. 이를 광합성 이라고 한다. 광합성 결과 최초로 만들어지는 유기 양분은 포도당이지만 곧 녹말로 바뀌어 잎에 잠시 저장되므로 아이오딘-아이오딘화 칼륨 용액을 이용하여 광합성 산물을 확인할 수 있다.

(2) 시험관 속의 기포수를 세는데 너무 작아서 세어지지 않는다. 이를 보완할 수 있는 방법을 쓰시오.

[답안 작성]

[예시답안]
온도를 38 °C에 가깝게 맞춰 광합성량을 최대로 하고 이산화 탄소의 용해도를 낮춘다.

[해설] 광합성 결과 산소가 만들어지고, 그 중 물에 녹지 못하는 산소가 기포로 된다. 기체는 온도가 높을수록 용해도가 낮아지므로 기포가 크게 생성된다. 또한 35~38°C일 때 광합성량이 최대이다.

(3) 시험관 속의 기포가 너무 가끔씩 발생하여 실험 결과를 측정하기 힘들었다. 이를 보완할 수 있는 있는 방법을 쓰시오.

[답안 작성]

[예시답안]
물 대신 이산화 탄소가 포함된 탄산수소 나트륨 용액을 넣어주고, 온도를 38 °C에 가깝게 맞춰 광합성량을 최대로 해준다.

[해설] 광합성은 빛의 세기, 이산화 탄소의 농도, 온도에 의해 영향을 받는다. 빛의 세기에 의한 광합성량을 알아 보는 실험을 하므로 이산화 탄소 농도를 높게 하고 온도를 35~38°C에 가깝게 해주면 광합성량이 최대가 된다.

수학

1. 왼쪽 표는 734×38=27892를 계산한 결과이다. 왼쪽 표의 계산방법을 설명하고, 오른쪽 곱셈식을 완성하시오.

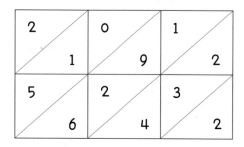

734×38 = 27892

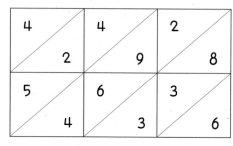

⬚ × ⬚ = ⬚

[답안 작성]

[예시답안]

734와 38의 곱을 할 때 각 자리수의 곱을 첫 줄 첫 번째 칸부터 채워나간다.
즉, 7×3 = 21(백의 자리와 십의 자리의 곱)과 4×8 = 32(일의 자리끼리의 곱)를 다음과 같이 적는다.

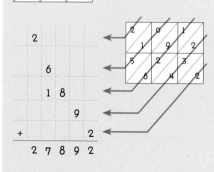

왼쪽과 같은 표를 완성 후 화살표 방향으로 더하여 답을 구한다.
그러므로 구하는 곱셈식은 674×79 = 53246이다.

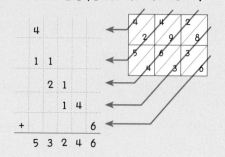

2. 여섯 명의 사람이 서로의 정보를 공유하려고 한다. 두 사람이 통화를 할 때 상대방에게 자신의 정보와 앞서 통화한 다른 사람의 정보를 함께 전달한다고 한다. 여섯 명이 서로의 정보를 공유하려면 최소 번의 통화를 해야 한다. 이때 가능한 한 많은 모형을 그림으로 나타내시오. (단, 사람의 순서는 생각하지 않으며, 와 같이 닫혀있는 형태는 제외한다. 회전, 대칭하여 모양이 동일하면 같은 모형이다.)

[예시]

- ◯ : 사람, ◯—◯ : 두 사람이 서로의 정보를 교환

- 세 명이 최소 4번의 통화로 정보를 공유하는 경우의 모형 :

- 네 명이 최소 5번의 통화로 정보를 공유하는 모형 :

[주의] 회전, 대칭하여 동일하면 같은 모형이다.

또한 는 같은 모형이다.

[답안 작성]

[예시답안]

1. 다음은 영희 일기의 일부이다. 물음에 답하시오.

시골에서 할머니가 잎이 달린 당근을 보내주셨다.
할머니의 정성이 들어 있어서 오랫동안 신선하게 보관해서 먹고
싶은데... 어떤 방법이 있을까?

당근을 오랫동안 신선하게 보관하는 방법을 네 가지를 제시하고, 과학적인 원리를 설명하시오.

[답안 작성]

[예시답안]
• 냉장 보관한다. : 곰팡이가 자라지 못하도록 온도를 낮추어 썩지 않게 한다.
• 잎을 제거한다. : 뿌리에 저장되어 있는 양분이 잎으로 이동하므로 잎을 제거하여 뿌리가 시들거나 썩지 않게 한다.
• 비닐 등으로 감싼다. : 수분이 날아가 마르지 않도록 한다.
• 과일과 함께 보관하지 않는다. : (에틸렌가스가) 식물의 노화를 촉진한다.

[해설] 당근이나 무와 같은 뿌리채소는 흙이 묻은 상태로 살짝 흙만 털어 뿌리를 절단하지 말고 보관하는 것이 좋다. 채소는 수분이 증발하면 금방 시들기 때문에 신문지나 키친 타올에 물을 살짝 적셔 채소를 감싸 팩에 넣은 후 온도가 낮은 냉장고에 두면 보름 정도 보관이 가능하다.

2. 영재는 등산로가 잘 정비되지 않은 산으로 등산을 갔다가 그만 길을 잃고 말았다. 당황했지만 마음을 진정시키고 자신의 상황을 곰곰이 생각해 보았다.

> • 주위를 둘러보니 인기척이 느껴지지 않았다.
>
> • 휴대전화 배터리가 모두 방전되어 휴대전화를 사용할 수 없었다.
>
> • 손목에 바늘 손목시계를 착용하고 있었다.

영재가 이러한 상황에서 산의 남쪽에 형성된 마을을 찾아가는 방법을 다섯 가지 설명하시오.

[답안 작성]

[예시답안]
• 밤이라면 북극성이나 북두칠성이 있는 방향이 북쪽이다.
• 낮이라면 그림자의 위치 변화를 관찰한다. 그림자는 북쪽을 향하며 그림자가 이동하는 방향은 서쪽에서 동쪽이다.
• 낮이고 바늘 손목시계가 있다면 시침을 태양으로 향하게 한다. 이때 시침과 시계의 12시 방향이 이루는 각을 이등분하는 선이 남쪽을 가리킨다. (나뭇가지를 바닥에 수직으로 꽂고 시침과 그림자를 일치시키되 시침이 그림자가 시작되는 부분을 향하게 한다. 이때 시침과 시계의 12시 방향이 이루는 각을 이등분하는 선이 남쪽이다)
• 잘려진 나무가 있다면 나무의 나이테를 관찰한다. 일조량이 적으면 나무의 성장이 더디므로 나이테의 간격이 좁은 방향이 북쪽이다.
• 나뭇가지나 나뭇잎은 일조량이 많은 곳에 많으므로 가지가 많이 뻗어 있거나 잎이 상대적으로 많이 달린 쪽이 남쪽이다.
• 이끼는 그늘지고 습한 곳에 서식하므로 흙이 쌓인 곳에서 이끼가 많이 낀 쪽이 해가 잘 들지 않는 북쪽이다.
• 봄이었다면 북쪽 산사면에는 진달래가, 남쪽 산사면에는 철쭉이 주로 서식한다.

[해설] 산 인근 민가는 겨울철에 일조량이 많고, 산바람을 막아 보온성을 높이기 위해 남향으로 집을 지으므로 아래의 민가를 보았을 때 민가의 창문이 향하는 곳이 남쪽이다.

공통

1. 쉬는 시간, 교실에서 친구들과 어울리지 못하는 친구를 도울 방법은 무엇인가?

[답안 작성]

[해설] 인성 면접 문제이다. 영재원에서는 대부분 팀으로 탐구하므로 갈등 해소 능력, 겉도는 친구를 포용하는 마음, 다른 사람의 감정을 공감하는 능력 등을 확인하는 질문이 많이 나온다. 미리 적절한 답안을 생각해보는 것이 좋다.

2. 돌을 운반하여 돈을 버는 아프리카 아이들을 도와줄 수 있는 방법은 무엇인가?

[답안 작성]

[예시답안]
• 여러 구호단체의 모금 활동, 기부, 후원을 통해 돕는다.
• 아프리카 어린이를 위해 편지를 쓴다.

[해설] 어른이 되어서 돈을 벌어서 도와주겠다는 생각보다 지금 내가 할 수 있는 작은 도움을 생각해보는 것이 좋다.

3. 조별 과제를 진행하는데 한 친구가 참여하지 않고 있다면 어떻게 할 것인가?

[답안 작성]

[해설] 인성 면접의 경우에 영재원에서는 대부분 팀으로 탐구하므로 갈등 해소 능력, 겉도는 친구를 포용하는 마음, 다른 사람의 감정을 공감하는 능력 등을 확인하는 질문이 많다. 평상시 다른 사람을 배려하는 훈련, 나와 다른 차이점을 수용하는 마음 등을 길러 온 아동이라면 충분히 답할 수 있다.

4. 실험실에서 우리 조만 다른 조와 다른 결과가 나왔다면 어떻게 할 것인가?

[답안 작성]

[해설] 실험 결과는 가설에 맞게 변인 통제를 잘 해야 옳은 결과를 얻을 수 있다. 우리 조만 다른 조와 다른 결과가 나왔다면 가설에 맞게 변인 통제가 잘 되었는지 확인을 해야 한다. 그리고 변인 통제를 잘못하여 다른 조와 실험 결과가 다른 것이라면 다시 실험을 할 수 있는 시간과 여건이 된다면 변인 통제를 제대로 해서 실험을 하고, 다시 실험을 할 수 있는 시간과 여건이 되지 않는다면 변인 통제에서 실수한 부분으로 인한 실험 결과에 대한 실험 보고서를 작성해야 한다.

5. 다음 글을 읽고 질문에 답하시오.

> 민수네 학급은 오늘 미술 시간에 협동화 그리기를 했습니다. 그러나 민수는 자기가 맡은 그림에 색칠도 안 하고 놀기만 했습니다. 끝날 시간이 되자 모둠 아이들은 마음이 급한 나머지 민수의 그림까지 함께 색칠해서 냈습니다. 선생님은 민수네 모둠의 협동화가 가장 멋있다고 칭찬을 해 주시며 모둠원 전체에게 스티커를 한 장씩 주셨습니다. 모둠원들은 민수가 협동화 그리기는 하지 않고 장난만 치고 스티커를 받았다는 사실을 선생님께 말씀드려야 할지 고민했습니다.

모둠원들이 민수의 행동을 선생님께 말씀 드려야 할지에 대해 자신의 입장을 정하여 토론하시오.

[답안 작성]

[해설] 모둠 활동에서 자주 발생할 수 있는 상황이다. 4명이 함께 하는 활동에서는 항상 1명이 주도적으로 하고 1~2명이 참여를 하지 않는 경우들이 발생한다. 협동화나 조별 과제 등을 해결할 때 참여하지 않는 친구가 생기면 대부분 한 두 번 얘기해도 참여하지 않으면 선생님께 말씀드린다. 그러나 이번 상황은 민수에게 색칠하라고 얘기하는 사람도 없고, 선생님께 말씀드리지도 않은 상황에서 민수를 빼고 협동화를 마무리했다. 모둠원들이 민수의 행동을 선생님께 말씀드린다면 모둠원들이 민수와 협동하려고 노력하지 않는 부분에서 모둠원들에게 준 스티커를 모두 회수하실 수 있다. 또한 선생님께 민수의 행동을 말씀드린다고 해서 민수가 다음부터 협동할 확률은 그리 높지 않을 것이다. 가장 중요한 핵심은 민수가 왜 협동하지 않았는지에 대한 모둠원들의 고민 없이 민수를 무시한 부분이다. 따라서 선생님께 말씀드리는 부분보다는 민수와의 협동을 위해 어떻게 해야 하는 것이 좋을지에 대한 해결 방안과 함께 토론을 한다면 좋은 결과를 얻을 수 있다.

6. 다음 글을 읽고 질문에 답하시오.

어느 초등학교에서 '꼴찌없는 운동회'가 열려 많은 사람들의 관심을 모았습니다.
이 학교에는 선천적으로 장애를 가진 학생이 있는데 운동회 달리기 때마다 항상 꼴찌로 들어왔습니다. 하지만 이날만큼은 먼저 달려가던 5명의 친구들이 그 장애 친구에게 다가가 손을 잡고, 함께 결승선을 통과하여 1등 도장을 받았습니다. 이것은 미리 계획된 것으로 항상 꼴찌를 해온 이 학생에게 선생님과 친구들이 준 초등학교에서의 마지막 운동회 선물이었습니다.

위 초등학교 학생들의 행동에서 본받을 점을 두 가지 이야기하시오.

[답안 작성]

[해설] 장애를 가진 학생을 배려한 친구들의 깜짝 선물은 많은 사람들에게 감동을 줬다. 많은 학생들은 '나도 장애를 가진 친구를 배려하겠다', '우리 주변에 도움이 필요한 친구가 있으면 도와주겠다'와 같은 생각을 하고 이야기를 할 수 있다. 그러나 이런 이야기는 영혼 없는 답변이라고 할 수 있다. 누구나 알고 있는 내용이지만 실천하는 사람은 많지 않다. 따라서 현재 내 주변에 있는 친구 중 도움이 필요한 친구가 있으면 글에 나온 친구들처럼 구체적으로 어떻게 도움을 줄지 아이디어와 함께 답변을 하는 것이 좋다. 꼭 신체적인 장애를 가진 친구가 아니더라도 정신적 장애를 가진 친구, 전학 온 학생이라서 도움을 필요한 친구 등이 있으니 예를 들어 이야기를 하면 좋을 것이다. 또한 면접관은 합격시켜 함께 수업을 하고 싶은 학생에게 좋은 점수를 준다는 것을 꼭 기억하고 예상 답변을 생각하는 것이 좋다.

관찰추천제 사용설명서

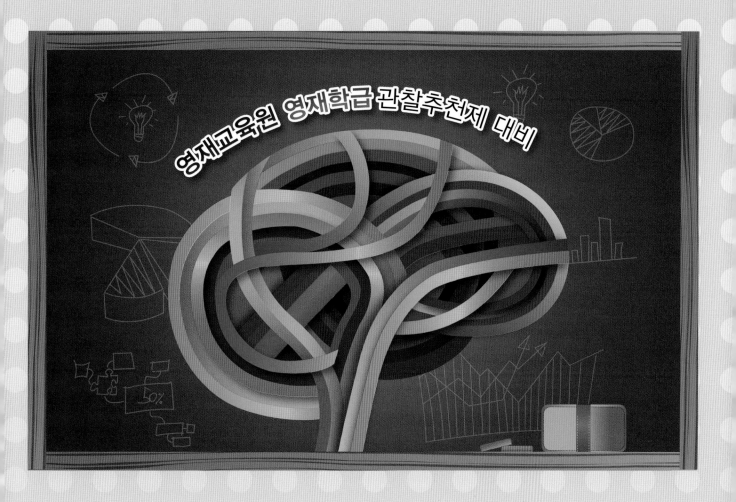

영재교육원 영재학급 관찰추천제 대비

안쌤의 「창의적 문제 해결력」 수학 과학 공통

모의고사

① 모의고사 [4회]

- ● 최근 시행된 전국 관찰추천제 기출 완벽 분석 및 반영
- ● 서울권 창의적 문제해결력 평가 대비
- ● 영재성검사, 학문적성검사, 창의적 문제해결력 검사 대비

② 평가 가이드 및 부록

- ● 영역별 점수에 따른 **학습 방향 제시와 차별화된 평가 가이드 수록**
- ● 2015 창의적 문제해결력 평가와 면접 기출유형 및 예시답안이 포함된 **관찰추천제 사용설명서 수록**

안쌤의
「창의적 문제 해결력」

모의고사 ⑭^{문항} 구성

전국 영재교육 대상자 선발
관찰추천제 유형에 따른 맞춤형 문항 구성!!

문항 구성	창의적 문제해결력 평가	영재성검사	학문적성검사	창의적 문제해결력 검사	창의 탐구력 검사
수학 사고력 4문항	●	●	●	●	
창의성 2문항	●	●		●	●
STEAM 1문항	●	●	●	●	●
과학 사고력 4문항	●	●	●	●	
창의성 2문항	●	●		●	●
STEAM 1문항	●	●	●	●	●

안쌤의
창의적 문제해결력 시리즈

초등 1~2 학년

초등 3~4 학년

초등 5~6 학년

중등 1~2 학년